"춘천 중도유적의 학술적 가치와 성격 규명을 위한 학술회의" 논문집

편찬 동양고고학연구소

2020

학연문화사

"춘천 중도유적의 학술적 가치와 성격 규명을 위한 학술회의"

일시 : 2019년 6월 1일(토요일) 오후 1시30분~4시30분

장소 : 국립중앙박물관 교육관 제1강의실

중도A1구역 지석묘군 제토(상,2014.7) 철거(중,2014.12)후 레고랜드 신축 공사(하,2019.12)

주최: 동양고고학연구소

“春川 中島遺蹟의 學術的 價値와 性格 糾明을 爲한 學術會議”

日時：2019年 6月 1日(土曜日) 午後 1時30分~4時30分

場所：國立中央博物館 教育館 第1講義室

中島C2區域 支石墓群 除土(上,2016.8.23.)後 撤去(中,2016.10.27),駐車場敷地(右, 赤色: 支石墓)

主催：東洋考古學研究所

『중도문화(中島文化)-춘천 중도유적』 발간사

우리나라 7개 문화재발굴전문단체가 구역을 나눠 4년여에 걸쳐 춘천 중도유적발굴조사를 끝낸 후 이 유적을 한마디로 "한국고고학 역사상 청동기시대 최대의 마을유적이다"고 발표했다.[「춘천 중도 LEGOLAND KOREA Prpjject A구역 내 유적 발굴조사 약식보고서」 2017.10] 그러나 아이러니하게도 한국고고학 발굴역사상 청동기시대에 조성된 우리나라 최대의 이 마을유적은 세상에 나오자마자 일부는 철거(撤去)하고 나머지는 모두 복토(覆土)해서 강원도(LL공사)와 영국(英國) 멀린사(Merlin entertainments)가 올해 안에 레고랜드를 착공하겠다고 한다.

춘천 중도유적은 이미 1980년부터 1984년까지 국립중앙박물관에서 5차례 발굴조사하고 그에 따른 보고서 5권이 나왔다. 이외 1980년대에도 270여 기의 유구가 발굴되고 2010년에는 소위 "4대강 살리기 사업"에 따른 발굴조사에서도 200여 기의 유구가 발굴조사 되기도 했다. 2013년부터 시작된 레고랜드 사업부지 내 1단계 발굴조사에서 1.400여 기의 유구가 발굴되었고 2015년 2단계 발굴조사에서도 650여기의 유구가 발굴되었다. 마지막 단계 발굴에서는 1.243기가 조사되었다. 이와 같이 이 레고랜드 조성 예정부지 내에서 총 3.000여 기의 유구가 발굴조사 된 것이다. 정확한 통계는 아니지만 이 유구 대부분이 청동기시대로 밝혀지고 있다.

중도의 대표적인 유적이라 할 수 있는 지석묘(고인돌무덤) 36기가 A1구역 B1지역에서 남북으로 240m거리에 이르는 장소에 대*중*소규모로 "위계(位階)"질서를 유지하며 분포되어 있었는데 (발굴)전문가 현장검토회의와 문화재청 문화재위원회에서 이를 이전(移轉) 복원(復元)하기로 결정했다. 이 결정으로 2014년 12월 동절기에 A1구역 B1지역의 36기의 지석묘가 훼손(毁損) 철거(撤去)되었다.[본서 표지사진 참조] 2016년 10월에는 C2구역에서 발굴 조사된 19기의 지석묘도 레고랜드 주차장 건물 용도로 훼손 철거하였다.[논문집 표지 사진 참조]

문화재청과 강원도는 발굴 조사된 유구 가운데 청동기시대 환호(環濠)지역 61.500㎡와 동안(東岸)의 철기-삼국시대 유적 32.000㎡만을 보존하고 중도(127만㎡) 안에서 발굴 조사된 '한국 청동기시대 최대의 마을유적'은 훼손 철거되거나 이미 발굴 조사된 3.000여 기의 유구는 기록으로만 남기고 모두 매립(埋立) 복토(覆土)하기로 결정했다. 이러한 행위는 문화재의 참사가 아니라 우리나라 역사의 대참사(大慘事)라고 해도 틀린 말이 아니다.

지난 2013년 7월 24일, 당시 박근혜 대통령이 춘천중도 레고랜드 개발예정 부지를 방문한 후 레고랜드 개발 사업을 "5대현장대기 프로젝트 지원 사업"으로 특별지시 하고부터 중도개발이 본격화 되었다. 편자는 중도유적을 살리고자 당시 박근혜 대통령에게 여러 차례 청원서를 상신하였으나 반영되지 않아 2015년 10월에는 『박근혜 대통령께 드리는 춘천 중도유적 보존을 위한 백서(白書)-레고랜드 코리아 개발 예정부지』를 사찬(私撰)으로 발간하여 박 대통령에게 제출했다. 새 정부 들어서서도 문재인 대통령에게 여러 차례 청원서를 제출했으나 오늘날까지 아무런 변화가 없다.

중도유적은 춘천시민이나 강원도민만의 문화유산이 아니다. 우리나라의 신석기시대와 청동기시대와의 과도시기에 서해의 해수면(海水面)의 상승(上昇)으로 한강하류의 주민들이 일부는 주변 산상으로 올라가고, 대부분은 침수를 피해서 한강상류로 이주하여 살면서 남긴 생활의 흔적이 중도유적이다. 1천여 년이 지난 후에 청동기시대와 철기시대와의 과도시기에는 해수면이 하강(下降)하자 이들은 한강하류로 이동하여 원래의 생활 터전에서 살게 된다. 이들이 백제를 건국하게 된다.[「해수면(海水面)상승(上昇)과 역삼동 청동기시대 유적과의 관계」『역삼동 주거지의 원위치 탐사』,태양,2017]

편저자의 주장이 가설에 지나지 않는다고 치지도외(置之度外)할지 모르겠지만 한강상류 춘천에서는 수천 기의 청동기시대 유적이 발견되고 있는데, 서울에서는 왜 산상에 한두 군데만 남아 있는가? 중도(127만㎡)의 7배나 되는 여의도(840만m²)에는 청동기시대 유적이 발견된 적이 없다. 청동기시대에 여의도는 물에 잠겨 있었기 때문이다.

중도유적은 우리나라 신석기후기로부터 청동기시대, 철기시대, 삼국시대, 그리고 고려, 조선에 이르기까지 우리나라 역사를 통사적(通史的)으로 관통(貫通)하는 매우 중요한 유적이다. 곧, 한국역사의 축소판(縮小版)이나 다름없다.

중도유적은 대부분을 훼손하고 레고랜드 놀이공원을 만들고 일부만을 보존하는 당국자의 말대로 건설과 보존이 상생(相生)할 수 있는 유적이 아니다. 일언이폐지(一言以蔽之)해서 절대로 상생할 수 없는 유적이다.

7개 발굴전문단체가 2013년부터 4년여에 걸쳐 발굴했으나 지금까지 정식발굴조사보고서 한 권 발간된 적이 없어 전체 발굴조사 규모나 자세한 문화내용을 파악하기는 어려운 형편이다. 발굴조사를 시작한지 7년여의 세월이 흘렀고 2017년 완료한 후 2년여의 세월이 지나고 있는 지금까지도 정식발굴보고서 한권 나오지 않고 학술회의 한 번 없어 궁금증만 더해 가고 있다.

이와 같이 국가적이고 세계적으로 학술가치와 문화재적 가치가 막중한 중도유적을 서양(西洋)의 플라스틱(Plastics) 놀이기구와 바꾸어도 되는지 국민에게 물어보고 싶어서 그동안 여러 경로를 거쳐 수집한 자료들을 중요 분야별로 편집하여 『중도문화(中島文化)-춘천 중도유적』이란 이름으로 자료모음집을 발간하였다.

고고학은 발굴만이 목적이 아니고 유적을 보존(保存)해서 후세에 길이 보전(保傳)하여 올바른 역사를 배우게 하는 것이 목적이다. 중도유적에 고층건물들이 들어서기 전 하루 빨리 원상을 회복하고 영구 보전해야 하는 이유가 여기에 있다. 학계와 정부는 지금이라도 중도유적을 원상회복하여 보전하는 방향으로 대전환을 해야 한다. 우리의 잃어버린 고대사는 살아있는 유적 없이는 제대로 복원할 수 없기 때문이다.

이 발간물은 7개 발굴전문단체에서 정부와 국회 · 언론 등 일부 관계자에게 제공한 약식발굴보고서를 중심으로 발굴 관련자료 그리고 편찬자가 조사 활동을 통해 얻어진 자료들을 정리 편집하였기 때문에 수치나 어떤 묘사에 있어서 발굴자의 자료와 불일치 할 수 있을 것이나 누구나 알아야 하고 알릴 의무가 있기 때문에 부득이한 사정임을 밝힌다. 이 자료모음집의 모든 문책(文責)은 편자의 몫임을 밝혀 두고자 한다.

중도유적을 장기간 발굴조사하신 분들의 노고에 감사드리며 아울러 자료수집 과정에 음양으로 협조해 주신 분들과 어려운 출판을 맡아 주신 분들께 깊이 감사드린다.

2019.6.1.

편찬자 이형구 씀

Publication Remark

After over four years of research of Joongdo site, Chuncheon, as a joint statement, seven research institutes of cultural heritages announced that it was "the largest village ruins in Korean archaeological history". ['Brief Report of the excavations of the LEGOLAND KOREA Project Area A in Joongdo site, Chuncheon', 2017.10. p.70]

Ironically, however, the ruins of the largest Bronze Age era in the Korean archaeological history were destroyed and demolished as soon as they came out to the world. All 1.3 million ㎡ of the ruins of Joongdo(2.6 million ㎡ in Yeouido) were buried and the Merlin entertainments in the UK-the investers of LEGOLAND- and the Gangwon Province Development Corporation together are planning to start construction of the western plastic toy amusement park this year.

The ruins of the Joongdo site in Chuncheon have already been excavated five times by the National Museum from 1980 to 1984, also announcing five reports. In the 1980s, there were 270 excavations as well. In 2010, there were 200 ruins exhumed at the excavation of the "Four Rivers Revitalization Project.", and 1,400 ruins were exhumed at the excavation stage 1 of the LEGOLAND business site, which began since 2013. 650 excavations were additionally exhumed in the second excavation investigation in 2015, and 1.243 were searched in the last excavation. A total of 3,300 ruins were excavated in the Joongdo site. Even though it is not accurate statistics, most of them were found to be Bronze Age ruins.

39 dolmens, which is a representative relic of the Joongdo site, was kept in a hierarchical order ranging from B1 to A area to 240m from north to south, and was decided to be restored through the Expert Review Meeting and the Cultural Properties Committee. As a result of this decision, 36 of the 39 dolmens were dismantled. [See the cover page.] In addition, in October 2016, 15 dolmens from the C2 area were demolished.

The government (Cultural Properties Agency and Gangwon Province) preserved only 61,500㎡ of the Hyanho(arch shaped ditch) of the Bronze era and Iron era, and removed 60 of these 160 stone dolmens. The remaining 3300 sites in the investigation area were recorded and then all decided to be buried. It is not a disaster of cultural assets but a catastrophe of our country's history.

On July 24, 2013, President Park Geun-hye visited the LEGOLAND prearranged development area of Joongdo, and the development of LEGOLAND has been started in earnest since it has been specially supported as a project to support 'Five on-site waiting project'. In order to save the Joongdo site as soon as possible, I wrote a petition to President Park a number of times but it was not reflected. In October 2015, published "A White Paper on Preservation of Joongdo site in Chuncheon to President Park Geun-hye, a site for the development of Legoland Korea", and presented it to President Park. Even after the new government, I submitted a petition to the president, Moon Jae-in, but nothing has changed until today.[Refer to the annex of this book]

The Joogdo site in Chuncheon area is considered as a cultural heritage only to the Chuncheon citizens and Gangwon-do resident, but it is not. In the transition period of the Neolithic Age Bronze Age in Korea, the rise of sea level in the western sea caused some residents of the Han River to ascend to the surrounding mountains and most of them migrated to the upper stream of the Han River to avoid flooding. During the early Iron Age period, the sea level was lowered in the transitional period, and then they moved to the lower part of Han River to live in the original living place. These are soon to be found in Baekje. [Lee, Hyung - Gu; "Relation between sea level rise and ruins of Yeoksam-dong Bronze Age", "In-situ exploration of Yeoksam-dong residence", Taeyang, 2017]

Though it may be said that it is nothing but a hypothesis, there are thousands of Bronze Age ruins in the upper stream of the Han River. We have to ask why there is only one remaining Yeok-sam residence in Mt. Mabong in Gangnam-gu. The area of Yeoido in Seoul is 2.65 million square meters, which is twice the Joongdo site (1291434 square meters) of Uiamho Lake in Chuncheon. Nevertheless, no remains of the Bronze Age have been found in Yeoido. Yeoido was in the water during the Bronze Age.

Joongdo site is is a very important relic from the late Neolithic period to the Bronze Age, Iron Age, Three Kingdoms Period, and Koryo and Chosun It is a miniature of Korean history. We have to make a shift to restorate and preserve the Joongdo site, now. Our forgotten ancient history can not be restored without a living relic.

The purpose of Archeology is not in the excavation, but to preserve the ruins and restore the history to the future. Before buildings are built, the ruins should be restored to their original shape and be retained permanently. The country has no sign of preservation until today and only news we hear is that the construction of the LEGOLAND will be started sooner or later.

Even though the seven research institutes of cultural heritages have unearthed the ruins over four years since 2013 until 2017, they are still not publishing a full excavation report making it difficult to identify the total excavation scale and detailed cultural contents. It has been 7 years since the excavation began in 2013, and 2 years since the excavation has ended in October 2017, and I do not know yet the intention of not opening an academic conference neither announcing a full excavation report.

Despite these historical facts, I would like to ask the public whether the ruins of the Joongdo area, which has national and global academic value and cultural value, can be replaced with the plastic playground of UK. I have published a collection of archaeological materials of Joongdo site for this reason.

Since this work is based on the short report of the seven research institutes of cultural heritages provided by some officials and research materials of the editor, there might be minute inconsistencies. But it is inevitable to provide the enlightenment of the current situation. In addition, I look forward to a formal excavation report soon.

All reprimand for this work is on the editor.

I would like to express my gratitude to those who have executed the excavations in difficult conditions for a long time, and also to those who cooperated in the process of collecting data and those who published this difficult work.

May 12. 2019

Ph.D. Lee, Hyeong-Koo
Institute of the East Asia Archaeology

중도문화-춘천 중도유적

이형구 편저

중도C2구역 지석묘군 제토(除土) 후(2014.7) 철거 복토(覆土) 장면(우,2014.12), 대형호텔 부지

2019

동양고고학연구소

중도 청동기시대유적 분포도.(2015) 좌(한강A1): 지석묘, 우(녹색): 주거지

레고랜드 건설배치도.(2018)중도 청동기시대유적에 레고랜드가 건설된다

중도 레고랜드건설현장.(2020) 철근과 콘크리트 타설공사가 시작됐다(좌)

춘천 중도유적의 학술적 가치와 성격 규명을 위한 학술회의

1. 일시: 2019년 6월 1일(토요일) 오후 1시30분~4시30분
2. 장소: 국립중앙박물관 교육관 제1강의실
3. 주최: 동양고고학연구소
4. 학술회의 식전 행사:

『중도문화(中島文化)-춘천 중도유적』 자료모음집 발간 경과보고 ; 이형구(李亨求)

5. 학술회의

개회사: 이형구(李亨求) 동양고고학연구소 소장
환영사: 배기동(裵基同) 국립중앙박물관 관장
격려사: 김종규(金宗圭) 문화유산국민신탁 이사장
축　사: 조유전(趙由典) 전 국립문화재연구소 소장

발　표

사회: 김영수(金瑛洙) 한국 사마천학회 이사장
발표 1(주제발표): 춘천 중도유적 발굴의 고고학 성과와 학술적 가치-심재연(沈載淵) 한림대학교 한림고고학연구소 연구교수
발표 2: 일본 요시노가리유적의 발굴과 정비 및 활용-히로세 유이치(廣瀬雄一) 전 일본 사가현 요시노가리유적 조사담당계장 · 나까야마 키요타카(中山清隆) 일본 國士舘大学아시아학부 교수
발표 3: 춘천 중도유적의 청동기시대 물질문화의 계보와 의미-홍주희(洪周希) 강원 고고문화연구원 연구원
발표 4: 춘천 중도유적과 중국 홍산문화유적 그리고 진주 남강유적과의 관계-이형구(李亨求) 전 선문대학교 대학원장

종합토론

좌장: 손병헌(孫秉憲) 성균관대학교 명예교수
토론: 심봉근(전 동아대학교 총장), 최정필(세종대학교 명예교수), 신희권(서울시립대학교 교수), 오동철(춘천역사문화연구회 사무국장)

폐　회

2019. 6. 1.
동양고고학연구소

春川中島遺蹟の考古學價値と性格糾明ぉ爲に學術會議 順序

1. 日時：2019年6月1日(土曜日) 午後1時30分~4時30分
2. 場所：國立中央博物館 敎育館第1講義室
3. 主催：東洋考古學硏究所
4. 學術會議前行事

"中島文化-春川中島遺蹟"紹介圖錄發刊 經過報告：李亨求　東洋考古學硏究所所長

5. 學術會議

開會辭：李亨求 東洋考古學硏究所所長
歡迎辭：裵基同 國立中央博物館館長
激勵辭：金宗圭 文化遺産國民信託理事長
祝　辭：趙由典 元國立文化財硏究所所長

發　表

司會：金瑛洙 韓國司馬遷學會理事長
發表 1(主題發表)：春川中島遺蹟發掘の考古學成果と學術的價値-沈載淵翰林大學翰林考古學硏究所 硏究敎授
發表 2：日本吉野のケ里遺蹟の發現と整備及活用-廣瀨雄一 元日本 佐賀縣吉野ケ里遺跡調査擔當係長・中山淸隆 日本国士舘大アジア学部敎授
發表 3：春川中島遺跡の靑銅器時代物質文化の系譜と意味-洪周希江原考古文化硏究院硏究員
發表 4：春川中島遺蹟と中國紅山文化遺蹟及晉州南江遺蹟との關係-李亨求元鮮文大學大學院長

綜合討論

座長：孫秉憲(成均館大學名譽敎授)
討論：沈奉謹(元東亞大學總長), 崔貞必(世宗大學名譽敎授), 申熙權(ソウル市立大學敎授) 吳東喆(春川歷史文化硏究會事務局長)

閉　會

2019. 6. 1.
東洋考古學硏究所

춘천 중도유적의 학술적 가치와 성격 규명을 위한 학술회의 논문집 목차

개 회 사

오늘 학술회의는 과거에 치루었던 어느 학술회의와 달리 매우 의미심장한 학술회의입니다.

오늘 이 자리에 참석하신 여러분들께서는 우리나라 굴지의 발굴전문기관인 7개 발굴단체가 5년 동안이나 발굴한 중도유적을 발굴을 주관한 주체자(主體者)들이 학술발표회를 개최하지 않고 열외(列外)의 한 고고학학자가 이런 자리를 마련하는 가가 가장 의아해 하실 것입니다.

솔직히 말씀드려서 저도 이 자리에 서 있는 것이 편하지만은 않습니다. 그러나 이 자리를 마련하고 이 자리에 설 수 밖에 없는 이유는 바로 일찍부터 잘 알려진 유적인데도 불구하고 실제로는 잘 모르고 있기 때문에 그 진면목을 알리려고 이 자리를 마련하였습니다.

춘천 중도유적이 있는 중도에 서양의 플라스틱 놀이시설인 레고랜드가 들어서기 위해 지방자치단체가 영국의 투자사인 멀린사(Merlin)와 개발협약을 맺고 2013년부터 정부(문화재청)의 발굴허가를 받아 중도 전역을 발굴을 마치고 본격적인 레고랜드 개발 사업이 착공되기를 기다리고 있는 상태입니다.

오늘내일 착공될까봐 우려하고 있는 중에 중도유적의 진면목의 일부나마 관계자와 국민들에게 알려 드리기 위해 자료모음집을 만들어 공개하고, 이와 함께 중도유적을 발굴한 경험이 있는 중견 고고학자 두 분을 초빙하여 중도유적의 학술적 가치와 그 성격을 규명하는 계기를 마련하였습니다. 아울러 일본의 두 전문 학자를 모시고 일본의 문화유적 보존과 활용에 대해 타산지석으로 삼기 위한 자리도 마련하였습니다.

오늘 학술회의를 위해서 훌륭한 발표 장소를 제공해 주신 배기동 국립중앙박물관장님께 감사드립니다. 우리의 문화유산을 잘 보호하라고 격려해 주시기 위해 귀한 시간을 내 주신 김종규 문화유산국민신탁 이사장님과 축사를 맡아 주시는 조유전 박사님께도 감사드립니다.

오늘 학술회의의 주제발표를 맡아 주신 심재연 교수님과 중도유적에 관한 논문을 발표해 주실 홍주희 연구원님 그리고 멀리 일본에서 일본의 사례를 발표하기 위해 오신 나까야마 키요타카(中山清隆) · 히로세 유이치(廣瀨雄一) 선생님께 감사드립니다.

종합토론의 좌장을 맡아 주신 손병헌 교수님 그리고 토론에 참가하기 위해서 부산에서 오신 심봉근 전 동아대학교 총장님, 우리 문화재를 세계에 알리시는 최정필 교수님, 고고학 연구에 열정적인 신희권 교수님, 춘천 현지에서 중도유적을 지키기 위해 노력하시는 오동철 선생님께서 토론에 참가해 주시어 감사드립니다.

이 자리가 있기까지 알게 모르게 협력해 주신 분들께도 심심한 감사를 드리며 특별히, 바쁘신 가운데 오늘 이 자리를 빛내주신 여러분들께 깊이 감사드립니다.

2019년 6월 1일

동양고고학연구소장 이 형 구

환영사

배기동(裵基同) 국립중앙박물관 관장

안녕하십니까.

오늘은 정말 특별한 고고학세미나인 것 같습니다. 중도유적 자료모음집 발간과 중도유적의 가치에 대한 논의 자체는 상당히 오래 있었습니다만, 가치의 구현을 위한 노력들은 아직까지 제대로 된 것 같지는 않습니다. 중도유적 자체는 사실 우리 국립중앙박물관과 인연이 있습니다. 1980년도부터 발굴을 해서 보고서도 내고, 또 이 과정에서 고고학자들은 일찍부터 중도유적이 대단히 중요할 거라고 기대를 해왔었습니다.

고인돌이나 출토된 유물들, 지형적인 조건으로 보면 아마도 큰 도시가 있었을 것이다, 이렇게 생각해오고 있었는데 지난 몇 년동안 레고랜드를 만들기 위해 여러 발굴기관들이 들어가서 발굴한 결과를 보면 방금 이형구 선생님께서 말씀하셨듯이 그 자체가 참 우리 시대이래로 하나의 도시유적으로 성장해 왔다는 것이 밝혀진 셈입니다.

청동기 시대의 도시유적 같은 경우 현재 우리나라에서는 부여 송국리 유적과 같은 경우를 예를 드는데, 중도유적지는 훨씬 더 규모가 크고 짜임새 있는 도시유적이 아닐까 하는 생각이 듭니다. 여기에 대해서는 많은 분들이 이의가 없을 거라고 생각합니다. 대개 청동기시대에 주거지의 특징은 산비탈에 위치하고, 평지에 있다 하더라도 상당히 불규칙하며, 도시화되었음을 느끼기 어렵습니다. 하지만 중도유적은 도시계획이 있었던 유적으로 보입니다.

흔히 중요한 유적 같은 것을 세계문화유산감이라 하시는데, 중도유적은 그대로 보존한다면 세계문화유산 유적이 되어야 하는 그런 유적이 아닌가 싶습니다. 또 중도 강원도 분들은 맥(貊)을 잇는 유적이라고 해서 굉장히 중요시하고 있었지만은, 상당히 발굴이 진행된 다음에 정부의 결정으로 부분 보존을 하기로 되어있고, 거기에 전시관을 하나 만들기로 하는 이러한 방향으로 가고 있는 것 같습니다. 모든 분들이 고고학자들이 느끼는 세계유산의 기준을 가지고 있으시라고는 기대할 수는 없겠습니다.

우리가 만약 유럽이나 중동 등에 과거 당시의 도시 유적, 신석기시대 유적을 보면 감탄을 하게 됩니다. 그 이유가 구조적으로 잘 남아있기 때문입니다. 춘천 천전리유적 같은 것도 가서 보면 지상의 구조가 남아 있기 때문에 웅장하게 보이는 거죠. 만일 중도유적도 그 시대의 그 구조를 벽돌 혹은 (보존 가능한) 다른 재료로 쌓았다고 보면 어마어마한 유적의 이미지를 가지고 있었을 겁니다. 그런데 우리 조상들은 나무와 흙을 섞어 집을 짓고 살았기 때문에 그것이 무너져 밑바닥만 남은 상태입니다. 이 때문에 (형제가 온전히 보존되지 못하여) 사실 고고학자들은 물론, 일반인들 또한 유적의 외형적·사회적 가치에 대해 과소평가하는 점이 있습니다. 하지만 현재 일부의 상황, 이것이 복원되었을 때의 이미지를 그릴 수 있다면 정말 어마어마한 유적임이 틀림이 없고, 세계유산이 되어야 하는 유적이라 생각합니다.

이 학술회의는 그동안 나오지 않은 내용까지 추려서 내신 이 자료모음집 발간을 축하하는 자리이기도 한데, 이형구 교수님께 머리 숙여 감사와 존경의 마음을 표하고 싶습니다.

이형구 선생님게서 풍납토성을 보존하는데 노력하신 것을 비롯하여 우리 고대 문화유산 사랑에 대한 열정은 우리가 본받아야 할 뿐만 아니라 머리 숙여 경의를 표해야 하는 일이며, 우리 문화계의 선구자라고 생각됩니다. 다만 우리가 지금부터 생각해야 하는 것은 (현재 사회적으로 결정된 게 없지만,) 현재 보존된 유구 자체를 가지고 세계유산을 만드는 것 또는 그 유적을 잘 보존하며 대대로 후손에게 전해질 수 있도록 하는 등의 방향을 강구하는 것이라고 생각합니다.

그렇기에 오늘 내신 책(『중고문화-춘천 중도유적』) 자체가 그런 담론을 새로 시작하는 데 굉장히 중요한 역할을 하지 않을까 싶으며, 홀로 고군분투하시는 선생님께 힘이 되어드리지 못함이 한(恨)스럽습니다.

이것이 어떤 의미에서는 고고학자로서는 말하기 힘든 시대적 아픔을 담고 있는 경우가 아닌가 싶습니다. 때문에 이 과정이 고고학의 역사 혹은 우리나라 유적 보존의 역사에 잘 기록되어 고고학자들이 가졌던 고뇌와 이형구 선생님의 알리고자 하는 노력들로 잘 기록되었으면 하는 바람입니다.

비록 작은 세미나이지만 앞으로는 이러한 기대하는 의지가 커져 중도유적이 원상대로 보존되고 더 잘 활용되는 시대가 열리기를 기대합니다. 오늘 같은 화창한 날 중도유적의 보존을 위해 이곳에 자리해주신 여러분의 노력이 빛나기를 기대합니다. 오늘 국립중앙박물관에 와주신 것에 감사드리며, 오늘 이 자리가 굉장히 의미 있는 자리가 될 것이라 기대합니다.

마지막으로 이형구 선생님께 다시 한 번 감사드리고, 앞으로의 뜻이 잘 펼쳐질 수 있기를 기원합니다.

감사합니다.

격 려 사

김종규(金宗圭) 문화유산국민신탁 이사장

흔히 우리가 지식인 사회에서 가끔 자괴감(自愧感)이란 용어를 사용합니다.

제가 명색이 박물관인의 한 사람이고, 아시아 최초로 한국(COEX)에서 개최한 2004년 서울세계박물관대회(ICOM KOREA) 당시 세 사람의 공동 조직 위원장으로서의 한 사람이며, 오늘 이 자리에 부위원장으로 참석하신 최정필 박물관문화재단 이사장, 또 방금 환영사를 했던 배기동 국립중앙박물관, 당시의 부위원장 겸 사무총장으로 주역을 맡았던 사람들이 저를 포함해서 세 사람이 있습니다.

저는 춘천 중도문화유적에 대해서 알지 못했습니다. 그래서 제가 자괴감이라는 이야기를 했는데요, 일전에 배기동 관장께서도 이형구 교수에 대한 고고학자로서의 무한한 존경과 미안함을 이야기하셨는데, 정말 부끄럽습니다. 문화유산국민신탁 이사장이라는 직함이 문화유산을 지키는 지킴이의 대표적인 기관의 책임자인데, 근대 문화유산 지킴이 정도만 생각이 머물렀음이 부끄럽습니다.

저는 이 사안에 대해 그저 테마파크 정도로만 여겼을 뿐, 중도유적에 대해 가장 나이 많은 문화유산에서 더 나아가 도시형상의 유적과 같은 것이라고는 미처 생각하지 못하였고 앞서 있었던 배기동 관장의 말을 듣고서야 깨달았습니다.

정작 지켜야할 문화유산은 바로 이러한 우리 인류 문화의 뿌리임에도 불구하고, 이 같은 장소에 환경운동가들의 저주의 대상이자 없애야 하는 플라스틱인데 외국의 토이(Toy) 회사가 자리한다는 소식이 안타까울 따름입니다. 이는 저를 포함한 지식인들의 부끄러운 면일 뿐만 아니라 이를 추진한 정치가 또한 대내외적으로 또, 우리 후손들에게도 있을 수 없는 죄를 짓는 그런 짓입니다.

이건 범죄(犯罪) 행위와 같은 것입니다.

이형구 교수의 능력이 얼마나 대단한가 하면, 1980 · 90년대에 우리에게 광개토대왕비란 탁본만 있는 상태였고, 그것도 모자라 거의 주요한 탁본들은 다 일본에 있는 상황이었습니다. 제가 독립기념관 이사회에 이사로 있던 당시, 이형구 교수가 독립기념관에 광개토대왕비를 중국 돌과 석공을 들여 와 광개토대왕비를 원형과 같이 고증하여 복제해 놨습니다. 저 또한 꼭 참석을 부탁한다는 연락을 받았고요. 2004년이었습니다. 대학교수가 저 정도 추진력을 가지고 있음에 깜짝 놀랐을 뿐만 아니라 이형구 교수의 이름값을 한다고 느꼈습니다.

형통할 형亨자에다가 구할 구求자를 쓰시는데, 하시는 것 마다 이 이름을 따라 좋은 결과가 있으시기를 바랍니다.

축 사

조유전(趙由典) 전 국립문화재연구소 소장

먼저 이형구 동양고고학연구소장이 주관하는 「중도문화(中島文化)-춘천 중도유적」 출관과 동시에 학술세미나 개최를 진심으로 축하합니다.

주지하다시피 이 '춘천 중도유적'은 우리나라 신석기후기로부터 청동기시대 철기시대 삼국시대 그리고 고려 조선에 이르기까지 우리나라 역사를 통사적으로 관통하는 너무나 중요한 유적으로 고고 역사학계에 잘 알려져 있는 유적입니다.

강원도와 영국의 유명한 어린이 작난감 제작회사인 멀린사(Merlin enterrainments)가 함께 레고랜드 코리아(LEGOLAND KOREA)라고 하는 어린이 놀이공원을 건설하기 위해 (재)강원문화재연구소를 비롯 7개 전문발굴기관이 7개 구역으로 나누어 2013년부터 2017년까지 4년여 년에 걸쳐 계속된 사전 발굴조사에서 광복 후 간헐적으로 조사되어 온 유적의 전모가 들어나게 되었던 것입니다.

이와 같이 4년여 년에 걸쳐 조사된 유구는 청동기시대 무덤유적인 160여 기의 지석묘와 1000여 기의 같은 시대 집자리와 이를 보호하기 위한 해자(垓子) 등 총 3000여기의 유구가 확인된 우리나라 최대의 청동기시대 유적이라고 해도 손색없는 유적이라 하겠습니다. 지금까지 알려진 유구만 보드라도 중도는 청동기시대의 대집단 마을유적이었음을 알게 하고 있습니다.

그러나 지금까지 중도유적의 성격에 대해서는 언론에 극히 일부 보도된 내용 외에는 정식보고서가 출간되지 않아 유적의 정확한 성격을 파악하는데 어려움이 많고, 더구나 그간 학술세미나 한 번 열리지 않아 궁금증을 자아내고 있습니다.

대부분의 전문 학자들과 관심 있는 연구자들은 나름으로 중도유적의 가치에 대해 충분히 인지하고 있으면서도 이를 취합할 학술세미나 한 번 열리지 않아 유적의 공통된 성격을 도출해 내지 못하고 있는 실정입니다. 이는 아마도 4년여의 발굴조사에서 얻어진 방대한 자료와 내용을 집대성하는데 많은 시간이 소요되어 아직도 그 보고서가 출간되지 못한 원인이라 생각됩니다.

이러한 가운데 선문대학교 석좌교수로, 개인적으로 동양고고학연구소를 운영하고 있는 이형구 소장이 2015년 10월 발간한 「춘천 중도유적 보존을 위한 백서(白書)」에 이어 순수 자신의 사비를 들여 지금까지 발표되고 스스로 현장을 답사하고 얻어진 자료를 모아 「중도문화-춘천 중도유적」이라고 하는 자료모음집을 내고 그 기념으로 학술세미나를 개최하게 된 것에 고고학도의 한 사람으로 축하의 말을 전하지 않을 수 없습니다.

끝으로 오늘 세미나에 참가할 발표자의 훌륭한 논문과 전문가 여러분의 심도 있는 토론이 이루어져 중도유적의 성격이 학문적으로 밝혀지고 아울러 유적의 가치와 위상이 자리 매김 되는 마중물이 되도록 바랍니다.

학술회의

사회; 김영수(金瑛洙) 한국 사마천학회 이사장

중도유적 내 방형 해자(垓子)와 주거지 群 조감도(2014.7)

춘천 중도유적의 고고학 성과와 학술적 가치

심재연(한림대학교 한림고고학연구소 연구교수)

Ⅰ. 머리말

춘천 중도유적은 한국 고고학사에 매우 중요한 위치를 점하고 있다. 이 중도유적은 중도선사유적발굴조사단, 강원대학교 박물관, 국립중앙박물관의 발굴 조사를 통하여 청동기시대부터 철기시대에 이르는 다양한 매장유적과 마을이 분포하고 있을 가능성이 알려져 왔다. 이후, 한림대학교 박물관의 발굴조사(현 A1 구역 일부)와 4대강 관련 발굴 조사를 통하여 전역에 유적이 분포하고 있음이 확인되었다.

그런데 강원도는 외자유치를 기화로 하여 중도 일원에 대한 대규모의 개발사업을 추진하게 되고 이 추진 이전에 시굴조사를 실시하고 이후 LL개발은 정밀발굴조사를 실시하게 되었다.

이 정밀발굴조사를 통하여 중도 서반부에서는 청동기시대 마을과 매장유적, 구상경작유구(?) 등이 집중적으로 확인되고 소위 '원삼국시대' 분묘, 삼국시대 고구려 고분 등이 확인되었다. 그리고 동반부에서는 철기~삼국시대에 영위된 마을유적이 확인되었다. 또한 이 마을은 2~3중으로 형성된 방어용 구(溝)가 확인되어 여·철자형 주거를 사용한 재지 집단의 마을 변화상을 살필 수 있는 자료를 제공하여 주고 있다. 한편, 중도 전역에 형성되었을 것으로 보이는 경작 유구는 철기~삼국시대 이전과 이후에 전개된 농업사에 중요한 단서를 제공하여 줄 것으로 보인다.

그런데 청동기시대 지석묘군의 보존 과정에서 발생한 문제[1]로 촉발된 중도유적 전체 보존문제는 지역시민단체와 타 지역 단체들의 지속적인 문제 제기와 고고학계의 철저한 침묵으로 중도유적에 대한 수많은 의혹을 제공한 바 있다.

중도 일원은 강원도가 출연한 춘천 중도 LEGOLAND KOREA Project(면적 1,291,434㎡)를 시행하기 전에 발굴조사가 진행되었다. 그리고 2019년 5월에 복토작업이 완료된 상황이다. 이 중도유적에 대한 발굴 조사 내용이 중부고고학회 유적 사례발표(2014, 2017년)를 통하여 일부 공개된 적은 있지만 유적의 대강은 아직도 파악하기 어려운 상황이다.

이번 발표에서는 그 동안 진행된 중도유적의 고고학적 성과와 학술적 가치를 밝히기 위하여 향후 발간된 통합보고서에 밝혀질 사안에 대하여 이야기 하고자 한다.

Ⅱ. 조사현황

중도유적은 7개 기관이 합동으로 4년여에 걸쳐 조사를 진행하였다. 조사 결과 다음의 표와 같

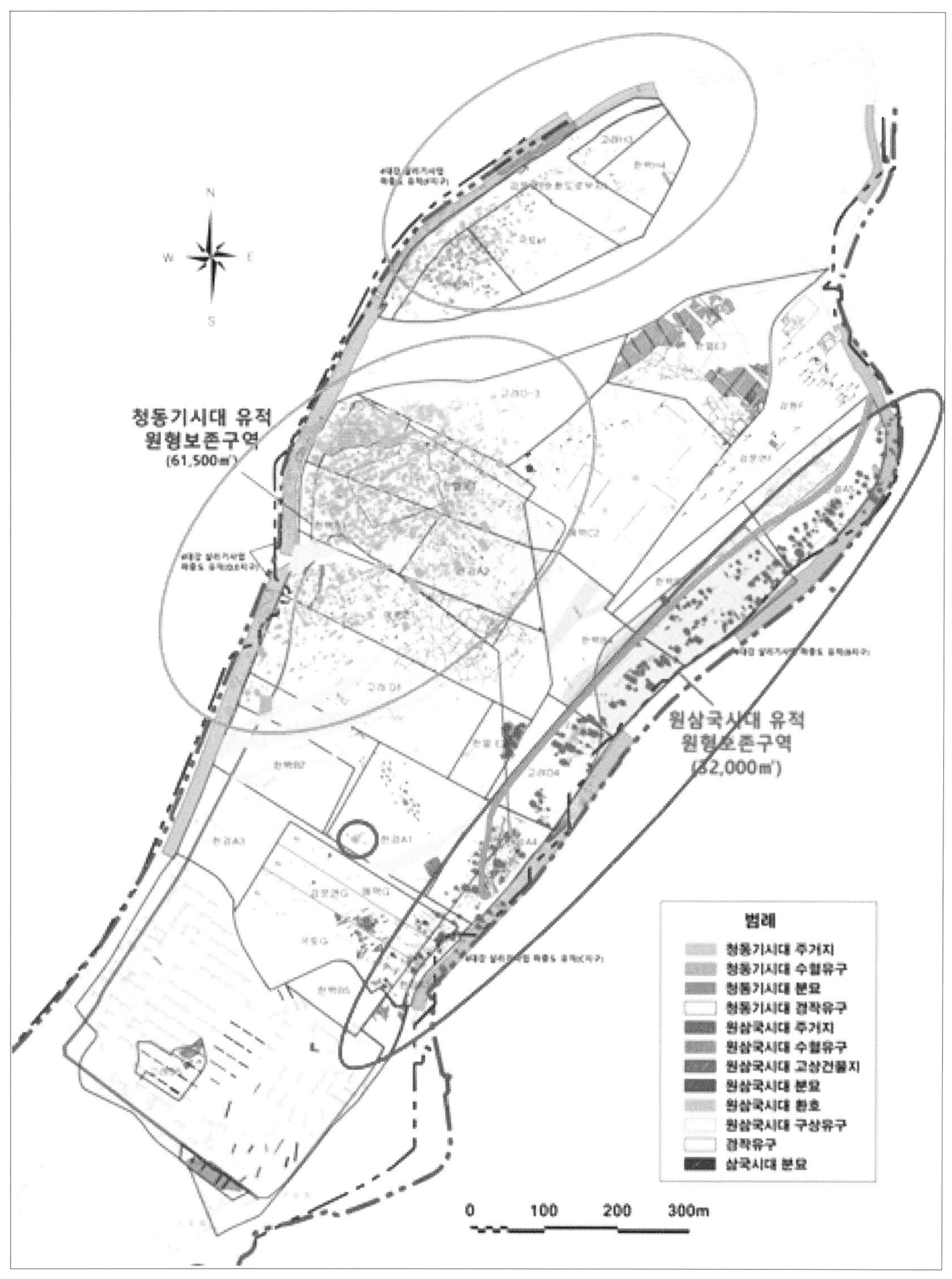

그림 1. 춘천 중도유적 발굴조사 현황

이 유구와 유물이 확인되었다.[2]

		신석기		청동기							'원삼국'~삼국									고려·조선		미상	
		수혈	기타	주거지	굴립주	수혈	환호	분묘	경작	기타	주거지	굴립주	수혈	환호	분묘	경작	매납	소성	기타	주거지	수혈/기타	수혈/기타	경작
2013-0390	한강			71		66		51			88	15	209	1	3	11	54	79	18		1	10	
2013-0391	한백	–	–	231	2	101	1	14	2	4	4	–	–	1	–	–	–	23		–	–	4	17
2013-0392	예맥	–	–	180	4	174	–	36	1	–	–	–	–	–	6	–	–	–	–	–	3	2[3]	11
2013-0393	고려	–	–	288	–	99	–	19	2	1	33	3	76	1	2	–	1	5	1	1	–	–	3
2013-0394	한얼	·	·	285	6	94	1	12	2	·	·	·	8	·	·	3	·	·	·	·	·	·	·
2015-1288	강원	0	0	75	0	47	0	7	0	1	0	0	0	0	0	0	0	0	0	0	1	0	0
2016-0395	강원	6	1	0	0	3	0	0	0	2	0	0	36	0	1	2	1	0	1	0	0	0	2
2016-0470	예맥	–	–	–	–	4	–	–	–	–	9	–	15	–	–	–	1	4	1	–	–	–	2
2016-0471	강원	0	0	0	0	2	0	0	0	0	4	3	22	0	0	1	8	0	0	0	11	2	1
2016-0472	국토				1	11				1	6		10		1	6	4	6					
2016-1196	고려	–	–	–	–	–	–	–	–	–	–	–	–	–	–	–	–	–	–	–	–	–	2
2016-1197	한백	–	–	–	–	–	–	–	–	–	1	–	–	–	–	–	3	1	4	–	–	–	2
2016-1309	고려	–	–	3	–	4	–	1	–	–												–	–
	국토			47		49		4							1								
	한백	–	–	97	1	98			1		–				6						1	1	
계		6	1	1,277	14	752	1[4]	144	8	9	145	21	376	1[5]	20	23	72	118	25	1	17	18	41
		7		2,205							801									18		59	
		3,090																					

표 1. 춘천 중도유적 유구현황

연번	허가번호	조 사 명	조사기관	출토유물			현단계	비고
				건	점	박스		
1	2011-0720	춘천 하중도 관광개발사업부지 내 B구역(시굴)	강원고고문화연구원	16	16		국가귀속	
2	2011-0721	춘천 하중도 관광개발사업부지 내 A구역(시굴)	예맥문화재연구원					유물없음
3	2013-0390	춘천 중도 LEGOLAND KOREA Project A구역 내 유적	한강문화재연구원	1,365	1,365			
4	2013-0391	춘천 중도 LEGOLAND KOREA Project B구역 내 유적	한백문화재연구원	955	955			
5	2013-0392	춘천 중도 LEGOLAND KOREA Project C구역 내 유적	예맥문화재연구원	1,072	1,072	4		
6	2013-0393	춘천 중도 LEGOLAND KOREA Project D구역 내 유적	고려문화재연구원	3,513	3,513	118		
7	2013-0394	춘천 중도 LEGOLAND KOREA Project E구역 내 유적	한얼문화유산연구원	1,300	1,348			
8	2015-1288	춘천 중도 순환도로부지 내 유적	강원문화재연구소	130	130	34		
9	2016-0395	춘천 중도 LEGOLAND KOREA Project F구역 내 유적	강원문화재연구소	29	29			
10	2016-0470	춘천 중도 LEGOLAND KOREA Project G-1구역 내 유적	예맥문화재연구원	119	119			
11	2016-0471	춘천 중도 LEGOLAND KOREA Project G-2구역 내 유적	강원문화재연구소	80	80	4		
12	2016-0472	춘천 중도 LEGOLAND KOREA Project G-3구역 내 유적	국토문화재연구원	37	40	2		
13	2016-1196	춘천 중도 LEGOLAND KOREA Project D-5구역 내 유적	고려문화재연구원					유물없음
14	2016-1197	춘천 중도 LEGOLAND KOREA Project B-5구역 내 유적	한백문화재연구원	4	4			
15	2016-1309	춘천 중도 LEGOLAND KOREA Project H구역 내 유적	한백문화재연구원	303	306	3		
			국토문화재연구원	218	225	4		
			고려문화재연구원	20	20			
계				9,161	9,222	169		

표 2. 춘천 중도유적 출토유물 현황

현재까지 신석기시대부터 조선시대에 이르는 유구는 3,090기, 동반 유물은 9,161건 9,222점, 169 박스이다. 이 다종 다양한 유구와 유물은 중도 일원에 영위된 선사~역사시대 주민이 자연환경의 변화에 따라 어떠한 방법으로 적응하여 왔는지를 보여줄 것으로 기대된다.

Ⅲ. 논의되어야 할 점

1. 중도 일원의 지형 형성 과정

중도 일원은 지금까지 알려진 자료로 볼 때 서쪽 청동기시대 지형이 형성된 이후에 동쪽 철기~삼국시대 마을이 형성되는 지형이 형성된 것으로 알려져 있다. 복수의 조사단은 이 경계면을 "층위 점이지대"라는 용어를 사용하고 있다. 그렇다면 통합보고서에는 이러한 지형이 형성되는 과정에 대한 지형학적인 규명과 경관을 보여줄 필요가 있다. 아울러 중도유적 북동쪽에서 남서쪽으로 관통하는 "구하도"의 형성 시기와 폐기 시점에 대한 설명이 필요하다.

이러한 지형학적 경관의 변화는 중도유적의 전체 환경 변화에 따른 중도인의 삶을 밝힐 수 있을 것이다.

2. 신석기시대~청동기시대 유구

1) "구상경작유구"

대체적으로 "시대미상의 구상유구","구상 경작유구"로 보고되어 왔다. 하중도의 중앙부를 중심으로 거의 전역에 분포하고 있는 것으로 알려져 있다. 암묵적으로 청동기시대 가장 이른 시기의 유구로 취급하고 있으나 구체적으로 어떠한 면에서 경작유구인지 설명이 결여되어 있다. 일부 자료에 춘천 천전리유적, 연천 삼곶리 유적에서 확인된 예를 열거하기는 하지만 춘천 천전리유적의 것은

그림 2. A5구역 추정 '구상 경작유구' 전경(한강문화재연구원, 2017)

발표자가 당초 청동기시대 수전에 형성된 논둑의 흔적으로 보았던 것이다. 이미 간행된 보고서의 오독으로 판단된다. 이것이 경작유구라면 적어도 경작면이 어디를 말하는지 적시되어야 한다. 그러나 가장 기본적인 경작면에 대한 설명은 찾아 볼 수 없다. 소위 "흑갈색 구(溝)"로 구분된 평면 단위가 무엇을 의미하는지, 식물고고학 측면에서 어떠한 경작 증거가 보이는지 설명이 필요하다.

2) 층위의 문제

모든 약식보고서에 공통적으로 확인되는 양상이다.

그림 3. 중도유적 C구역 내 유적 층위(예맥문화재연구원, 2017)

층위를 보면 "(청동기 유구 형성층)-구지표층2-원삼국 및 청동기 분묘 형성층-구지표층1-삼국시대 분묘 및 경작유구 형성층"으로 설명하고 있다. 그런데 중도유적의 최대 발굴 성과 중에 하나가 생활공간과 매장공간이 구분되어 확인한 것으로 알려져 있다. 그러나 중도유적의 최대 성과인 생활공간과 매장공간은 동시기가 아닌 것으로 판단된다. 적어도 층위의 설명에 의하면 생활공간과 매장공간은 층위 설명에 의하면 형성 시기의 차이가 있다. 이러한 층위상에 나타나는 현상에 대하여 종합적으로 설명이 이루어져야 한다.

3) "환호"

방형 환호로 알려져 있으나 지금까지 알려진 자료로 볼 때 이 유구의 성격은 불분명하다. 적어도 "환호"하는 의미는 방어적인 성격을 지닌 것으로 보아야 하지만 그러한 성격은 확인되지 않는다. 적어도 중도에서 확인된 "환호"는 방어적인 성격을 보여주는 특징이 보이지 않는다. 따라서 "제사공간"으로서의 성격에 대한 검토가 필요하다. 적어도 이러한 성격의 유구라면 소위 "환호" 내부의 공간 배치에 대한 구체적인 설명이 진행되어야 한다. “제사공간”으로서의 성격이라면 현재까지 알려진 주거의 대부분은 “환호” 형성기와는 관련이 크지 않을 것이다. 그렇지 않다면 “환호 형성 이전, 환호 형성기, 환호 폐기후 양상”에 대한 입체적인 설명이 필요하다.

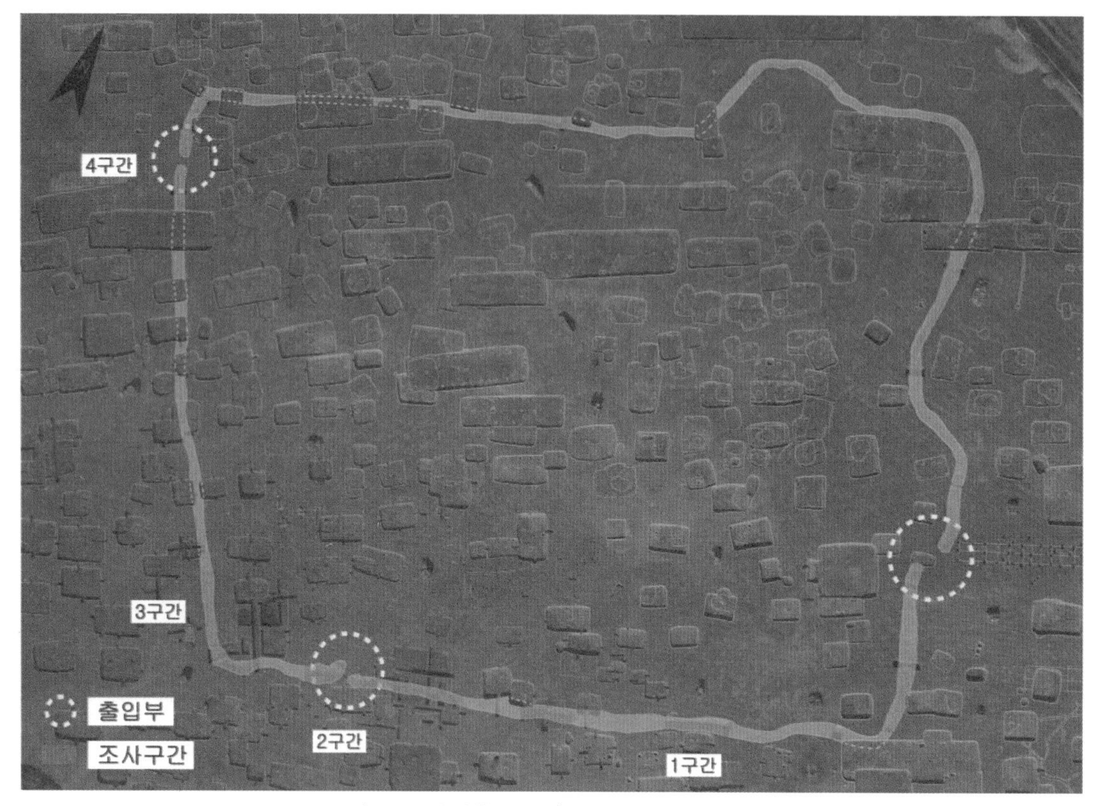

그림 4. 중도유적 환호 전경(한백문화재연구원, 2017)

4) 묘역식 고인돌

한강문화재연구원에서 조사한 묘역식 고인돌은 북한강유역에서 과거 ‘적석부가식’으로 알려지기도 하였으나 춘천 천전리지석묘군의 재조사로 그 존재가 알려진 분묘이다. 그런데 문제는 천전리지석묘군에서는 1960년대 발굴 조사 이후에 지속적인 표토층에 대한 교란으로 인하여 묘역 부분이 구지표에 어느 정도 노출이 되어 있는지 파악할 수 없었다는 점이다.

따라서 중도유적에서 확인된 묘역식 고인돌의 공간 배치에 대한 규명과 더불어 어떠한 양상으로 묘역이 형성되었는지 밝혀주어야 한다.

그림 . 중도유적 A1구역 지석묘 전경(한강문화재연구원, 2017)

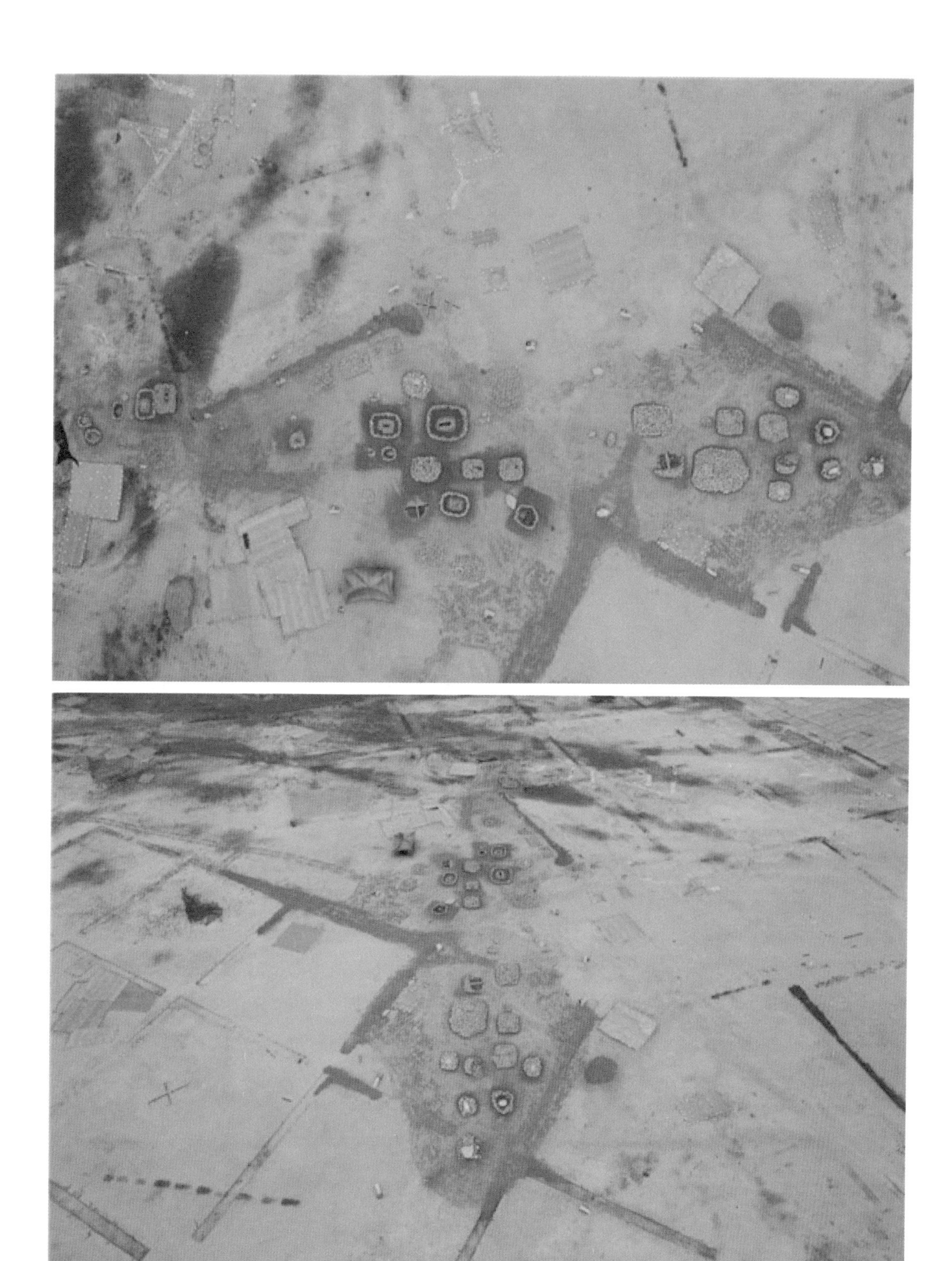

그림 5. 중도유적 A1구역 지석묘 전경(한강문화재연구원, 2017)

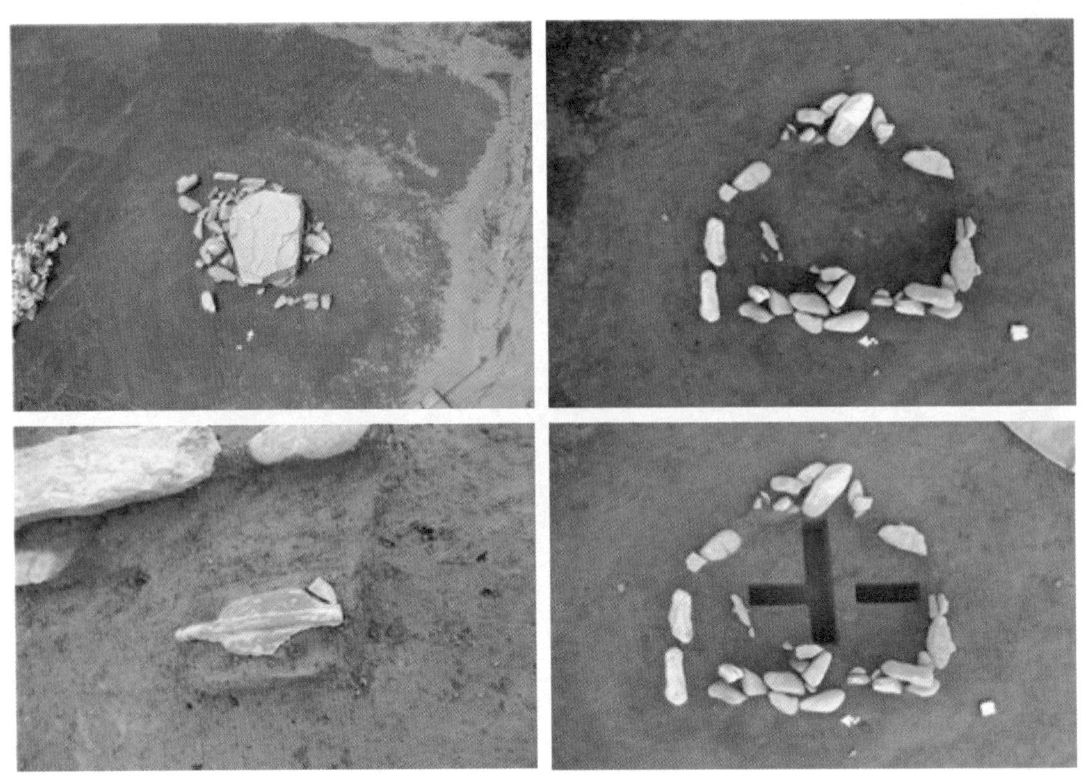

그림 6. 중도유적 A1-29호 지석묘

5) 고인돌 출토 인골

중도유적에서는 이미 고인돌에서 확인된 인골에 대한 자연과학적인 분석이 진행된 바 있다. 이번 중도 발굴 조사에서도 인골이 확인된 바 있다. 이 인골에 대한 분석을 통하여 중도인에 대한 제 특징이 규명되어야 한다.

아울러 A2-1호 지석묘의 경우, 하부에서 화장(火葬)시설로 추정되는 수혈이 확인 된 바 있다. 즉, 청동기시대에 진행되었을 것으로 보이는 다양한 장례 행위에 대한 규명이 이루어져야 한다.

6) 마을의 문제

중도유적은 대략적으로 청동기시대 조기에 해당하는 "미사리유형", 중기에 해당하는 "천전리유형"의 주거지가 확인되었다. 그런데 이후에 전개되는 후기(학자에 따라 다르기는 하지만)의 양상이 불분명하다는 것이다. 또한 북한강 대안인 현암리유적에서 확인되는 주거지의 밀집 현상과도 다른 점에 눈에 띤다. 이 양상에 대하여 청동기시대 연구자들에 합리적으로 설명이 이루어질 필요가 있다. 적어도 중도유적은 조사 기관별로 주거지의 밀집현상에 있어서 극명한 차이가 간취된다.

3. 철기~삼국시대 유구

중도유적은 점토대토기를 동반하는 단계의 유구가 확인되지 않았다. 따라서 청동기시대에서 철기시대 마을이 계기적으로 출현하는 양상은 확인되지 않는다.

중도유적 동반부에서 확인되는 여·철자형 주거지는 한강유역 철기시대의 대표적인 주거 형태이다. 그리고 최근 조사 사례의 증가에 따라 (장)방형 주거지가 추가되고 있다. 이 주거를 중심으로 형성된 마을에는 "환호'가 확인되었다. 그러나 굴착면의 진행 방향과 구의 해발고도상의 차이를 감안할 때 그 기능과 성격에 대한 검토가 필요하다. 적어도 북쪽 부분에서 확인되는 "환호"의 진행 방향은 마을과는 관련이 없는 부분으로 진행되고 있다. 아울러 "환호" 형성 이전과 "환호" 형성기, 폐기 이후의 양상에 따른 사회 성격에 대한 규명이 필요하다.

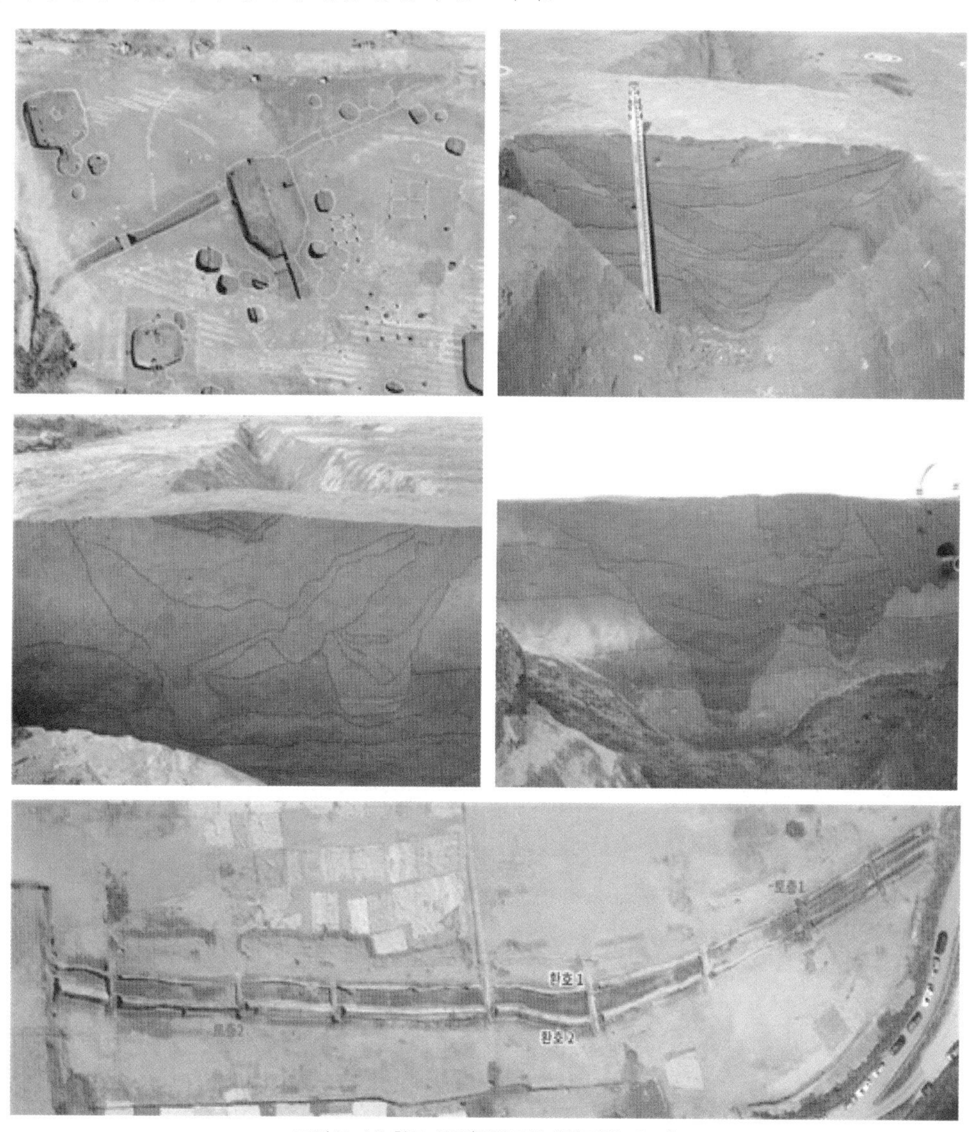

그림 7. A5 환호 상태(한강문화재연구원 2017)

한편 철기~삼국시대 주거지는 소형 (장)방형주거지와 여·철자형 주거지로 대별되는데 전자에서는 부뚜막 또는 구들이 시설되어 있으나 후자 주거지에서는 점토띠식 노지가 주를 이루고 있다. 즉, 중부지역에서 확인되는 구들, 부뚜막의 출현과 소멸 과정이 중도동 마을에서는 확인되지 않는다는 특징을 보여주고 있다. 따라서 삼국시대에 소위 '원삼국론'자들의 주장하는 주거 평면 형태 변화에 따른 내부 시설의 변화가 보이지 않는 이유에 대한 설명이 필요다가. 아울러 이 시기에는 철(여)자형주거의 출현과 합리적인 시간성을 부여하기는 어렵지만 소형 (장)방형주거지에 온돌 또는 부뚜막이 시설되는 배경에 대한 설명이 필요하다.

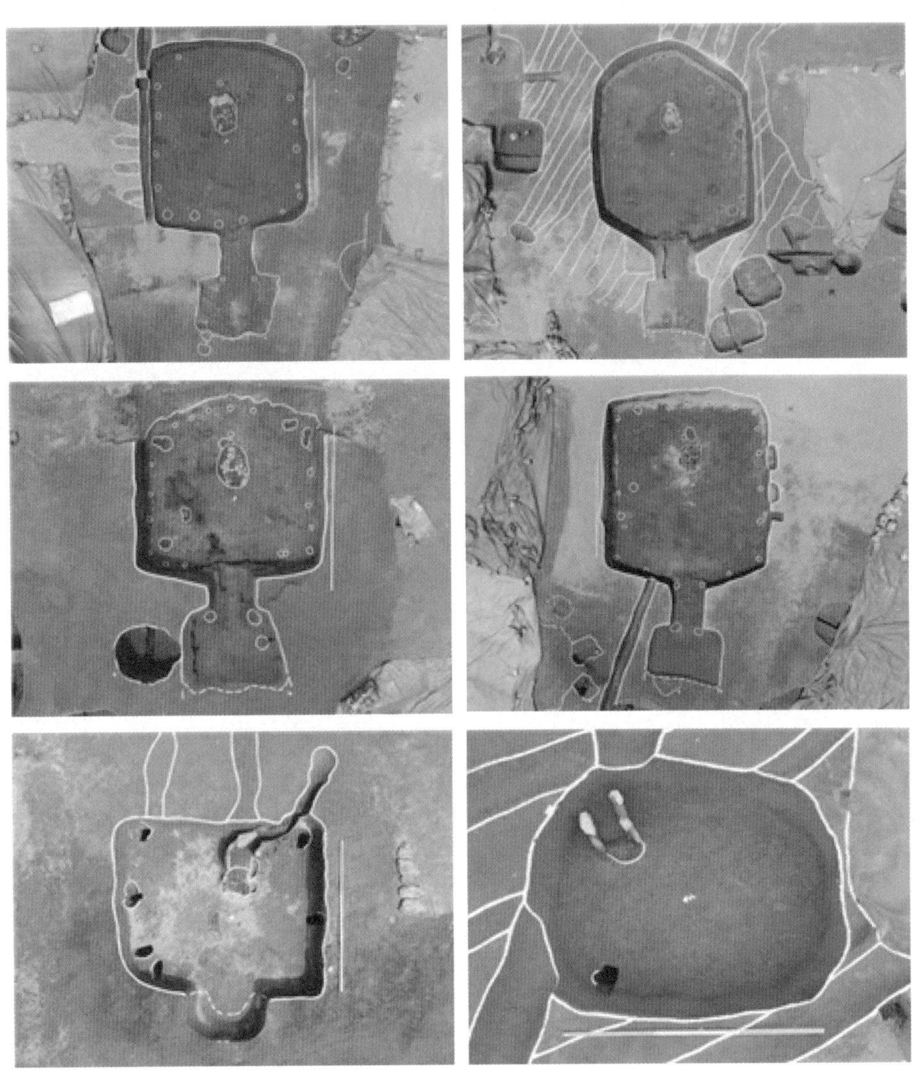

그림 8. 춘천 중도유적 A5지구 주거지
(①A5-16호 ②A5-9호 ③A5-14호 ④A5-19호 ⑤A5-27호⑥A5-41호, 한강문화재연구원, 2017)

춘천 분지에서 확인되는 철기~삼국시대 마을의 양상은 한강하류 한성백제의 성립에 따라 전개되는 주거 및 동반 유물의 변화가 연동되어 나타나지 않고 있다. 지금까지 확인된 자료를 근거로 보면 철기시대에 재지 주민이 사용하던 여·철자형 주거와 경질무문토기, 타날문토기가 꾸준히 상용되고 있다. 즉, 한성백제기 춘천분지에 분포하는 마을은 철기시대에 상용되던 구들의 소멸과 부뚜막의 출현이 주목할 만할 양상을 보여주지 못하고 있다. 그리고 낙랑계토기는 구체적인 소멸시기와 원인이 규명이 진행되어야 하겠지만 적어도 삼국시대 한성백제기에는 소멸한 것으로 보인다.

그리고 북한강유역을 중심으로 광범위하게 확인되는 낙랑계토기는 그 제작 집단에 대한 규명이 이루어지지 않고 있다. 적어도 낙랑계토기가 재지 세력을 통하여 제작이 되었다면 경질무문토기에 그 제작 방법이 전용되어야 하지만 그러한 양상은 확인되지 않고 있다. 따라서 중도유적의 발굴 결과는 이러한 양상에 대한 구체적인 대안을 제시할 것으로 생각된다.

여·철자형 주거지와 경질무문토기를 사용하던 재지 집단은 신라가 북한강유역에 진출하던 시기까지 전통 생활 양식을 지속[6]한 것으로 추정한 바 있다. 이후, 구체적인 양상은 춘천 근화동유적Ⅱ 2호 주거지[7]에서 확인된 바 있다. 따라서 이 집단의 물질 문화의 변동이 한강 본류지역과 연동하여 이루어지지 않은 이유에 대한 규명이 이루어질 것으로 보인다.

재지 집단은 전술한 신라 진출 이전인 고구려의 진출기에도 변화상은 보이지 않는다. 중도유적에서는 2기의 고구려 고분이 확인되었다. 고분에서는 고구려 양식의 귀걸이가 동반되고 있는데 고구려 수도인 평양의 것과 유사하고 남진 루트에서 확인되는 고구려 고분에서 동반되는 것과도 유사한 모습을 보여주고 있다. 춘천 일원에서는 동면 만천리고분군[8], 춘천 천전리고분[9], 서면 신매리고분[10], 서면 방동리고분군[11] 조사 이후에 처음으로 고구려 유물이 동반[12]되고 있다. 그동안 동반유물의 부재로 인하여 진전된 논의가 이루어지지 않았던 고구려 고분에 대한 규명이 이루어질 것으로 보인다. 특히, 중도유적에서 확인된 고분들은 다른 고구려 석실분과는 달리 석곽묘[13]로 일반적인 묘제 양상과 다르다는 점에서 주목된다. 향후 보고서 발간 작업을 통하여 구체적인 논의가 진행되겠지만 고구려의 남진과 함께 춘천지역을 중심으로 이루어진 재지 집단과의 상호관계를 규명할 필요가 있다. 강원문화재연구소에서 조사한 지점 출토품은 평안남도 대동군 출토품, 제천 교동 출토품[14], 진천 회죽리유적[15]출토품과 매우 유사하고 예맥문화재연구원 조사지역 출토품은 청원 상봉리유적과 유사하다.

아울러 적어도 중도 일원을 발굴 조사하는 과정에서 노출된 문화층에서 수습된 토기들에 대한 자세한 검토가 필요하다. 적어도 이 고분의 조성 집단과 재지 집단과의 관계 규명이 필요하다.

---

6 심재연, 2016, 「춘천의 철기~삼국시대 취락」, 『고고학과 문헌으로 본 춘천문화의 정체성』, 한림고고학연구소.
심재연, 2016, 「한강 유역 '원삼국시대' 유물 양상」, 『금강·한강 유역 원삼국시대 문화의 비교연구』, 호서고고학회·중부고고학회, pp.160~161.

7 국강고고학연구소, 2018, 『춘천 근화동유적Ⅱ-춘천 캠프페이지~북한강 제방간 도로개설공사 구간 내 유적 발굴조사 보고서-』.
심재연, 2018, 「(5) 근화동유적Ⅱ 철자형 주거지의 의미」, 『춘천 근화동유적Ⅱ-춘천 캠프페이지~북한강 제방간 도로개설공사 구간 내 유적 발굴조사 보고서-』.

8 翰林大學校博物館, 2000, 『春川市 東面 萬泉里 古墳 發掘報告書』.

9 江原文化財硏究所, 2008, 『泉田里-동면-신북간 도로확장 및 포장공사구간내 遺蹟 發掘調査 報告書』.

10 趙由典, 1987, 「春城郡 新梅里 高句麗式 石室墳 一例」, 『三佛金元龍敎授停年退任紀念論叢Ⅰ(考古學篇)』.

11 翰林大學校博物館, 1995, 『-整備保存을 爲한-芳洞里 古墳 發掘報告書』.

12 방동리고분에서 흑회색 토기편이 수습된 바 있다.

13 제천 교동에서도 이와 유사한 귀걸이가 출토된 바 있다.

14 호서문화유산연구원, 2018, 「제천 교동근린공원 조성부지 내 문화재 발굴조사 약보고서」.

15 충청북도문화재연구원, 2010, 『진천 회죽리 유적: 광혜원 국가대표 종합훈련원 부지』.

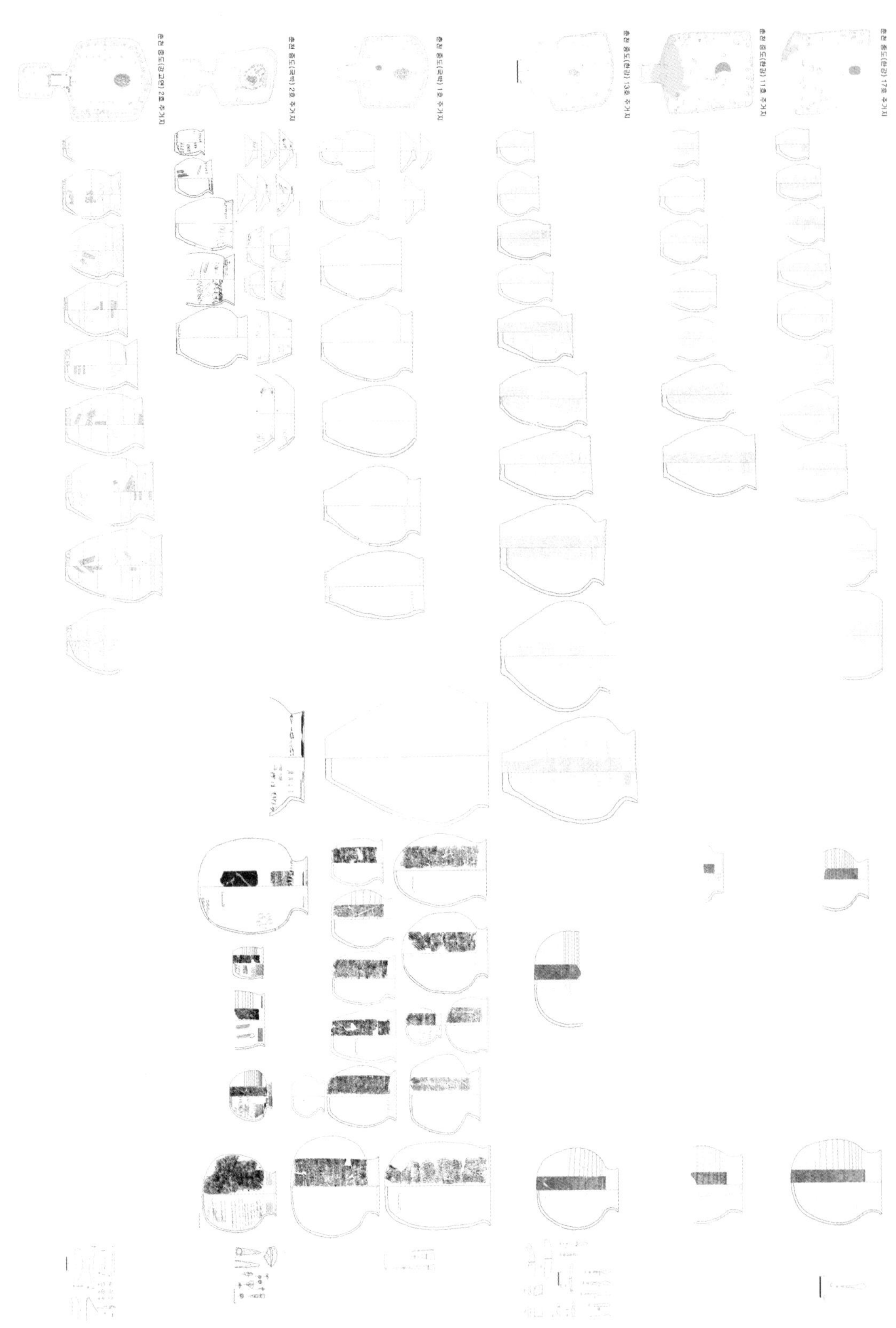

그림 9. 춘천 중도유적 주거형식과 유물 변천양상(박중국 2017)

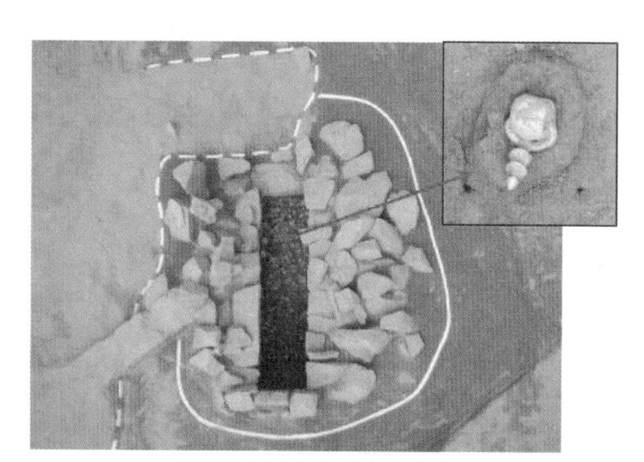

<돌덧널무덤과 유물출토상태, 남서→북동>

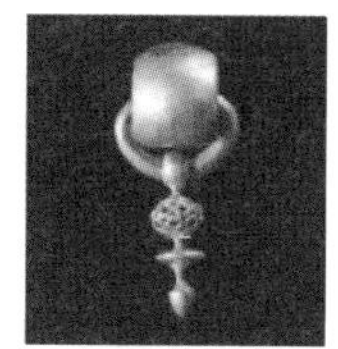

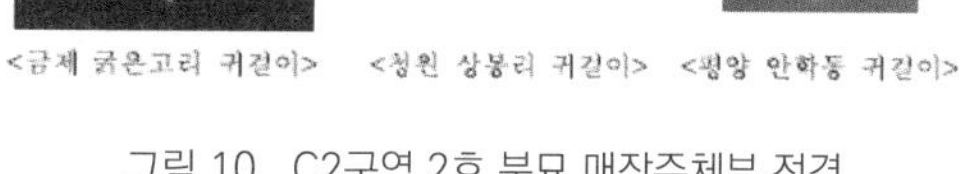

<금제 굵은고리 귀걸이> <청원 상봉리 귀걸이> <평양 안학동 귀걸이>

그림 10. C2구역 2호 분묘 매장주체부 전경
및 유물 출토상태 및 관련 유물

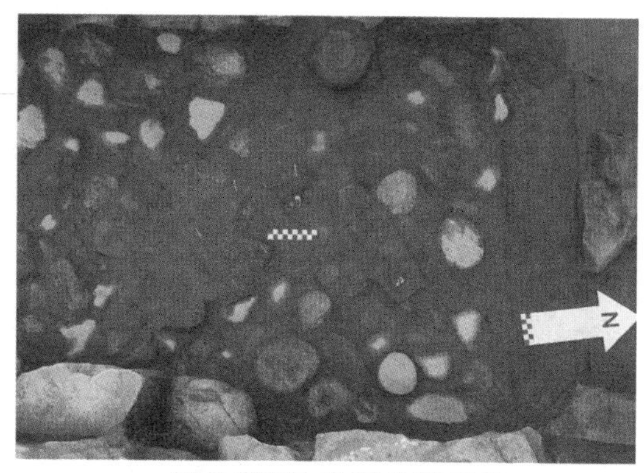

사진 20. 매장주체부 시상 북편 및 유물 출토양상

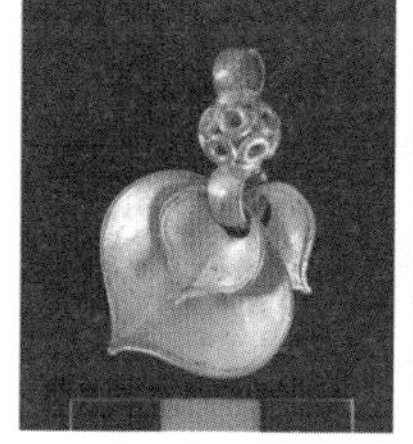

사진 21. 3엽 이식

사진 22. 2엽 이식

사진 23. 금속 환

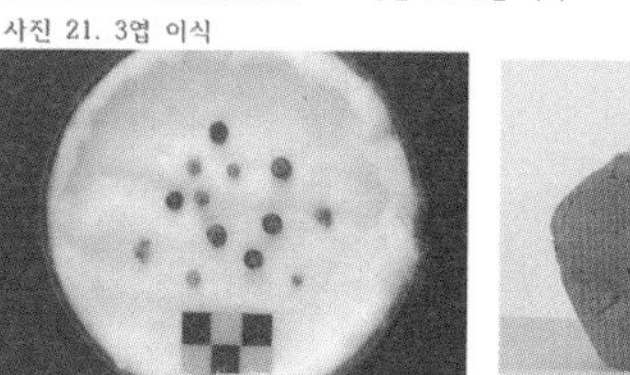

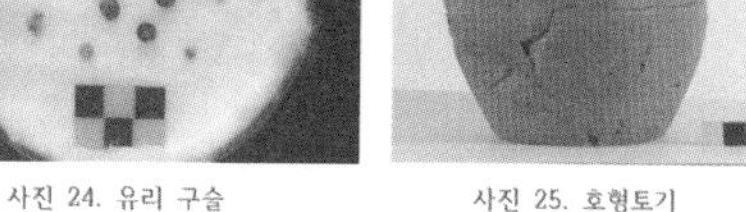

사진 24. 유리 구슬 사진 25. 호형토기

그림 11. 중도유적 F구역 고구려 석곽묘
(강원문화재연구소 2017)

한편, 중도유적에서는 삼국시대 재지집단의 물질 문화 양상과는 다른 유물과 유구가 주목된다. 예맥문화재연구원에서 조사한 C지점에서 전형적인 말갈관(靺鞨罐)이 동반되는 토광묘예맥문화재연구원, 2017, 「춘천 중도 LEGOLAND KOREA Project C구역 내 유적 정밀발굴조사 약식보고서」. 3기의 분묘가 조사되었으며 1기에서만 유물이 동반된다. 발굴조사자는 '원삼국시대'로 비정하고 있다.

가 발굴 조사되었다. 인골과 철제 귀걸이와 동반된 이 말갈관은 『三國史記』에 출현하는 말갈 집단 중 어느 집단과 관련이 있는지 아니면 隋書에 초현하는 집단과 어떠한 관계가 있는지에 대한 검토가 필요하다. 최근, 『삼국사기』 신라본기와 백제본기에 출현하는 말갈과의 관련을 지우려는 시도가 일부 보이고 있다. 그러나 전통적으로 말갈관의 출현시기인 6세기설과는 괴리가 보이고 있다. 적어도 이 말갈관의 출현은 전통적인 설에 의하면 신라의 한강유역 진출이후의 양상을 보여주는 것이다. 그렇다면 말갈족의 이주나 우연한 유입에 의하여 묘역이 형성되었을 가능성에 대한 검토가 필요하다고 판단된다.

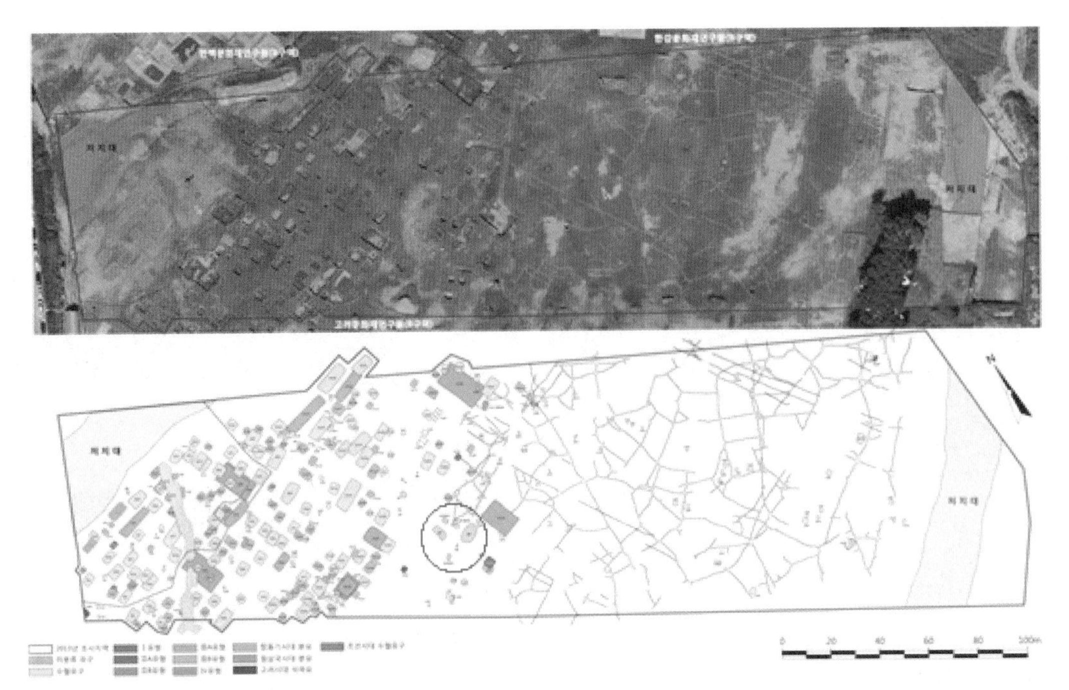

그림 12. 중도유적 토광묘 위치도(○)

그림 13. 영서지역 말갈토기(1. 춘천 중도유적 2. 홍천 송정리유적)

그런데 춘천지역을 중심으로 북한강유역에서는 이 전형적인 말갈관 이전 단계에 원말갈(原靺鞨)토기(폴체계토기)가 춘천 우두동 롯데인벤스 우두파크유적[16],홍천 송정리 80-9번지 유적[17] 등에서 확인되고 영동지역에서는 속초 청호동유적, 강릉 초당동유적에서 확인된 바 있다. 아울러 한강 본류 유역인 풍납토성, 몽촌토성, 방이동고분군 등에서 확인되고 있다[18]. 즉, 삼국시대 한성백제기 중부지역에서 진행되는 동북지역과의 이루어진 상호 작용의 양상에 대한 규명이 이루어져야 할 것으로 보인다. 적어도 춘천 지역은 북한강 상류지역의 최대 마을이 분포하고 있는 지역이다. 그렇다면 재지 집단의 주거 유형의 변화, 물질 자료의 변화상이 크지 않다는 점에서 선사시대 이래로 진행된 동북지역과의 상호작용에 대한 검토가 진행되어야 할 것으로 보인다.

---

16 江原文化財研究所, 2007, 『春川 牛頭洞 롯데인벤스 우두파크 신축부지 內 發掘調査 報告書』.
17 백두문화재연구원, 2016, 「홍천 송정리(80-28번지) 창고신축부지 내 유적 정밀발굴조사 약식보고서」.
18 심재연, 2018, 「토기로 본 고대 북방과 한국 문화 -폴체·원말갈·말갈계토기를 중심으로-」, 『인문학연구』 37, 경희대학교 인문학연구원.

그림 14. 춘천 중도유적 삼국시대 이후 경작유구와 농로 전경(한백문화재연구원, 2017)

중도유적은 현재까지 알려진 자료로 볼 때 신라 진출 이후에 중도를 중심으로 경관이 어떻게 변화가 진행되었는지 알 수 없다[19].현 근화동유적에서 확인 되는 재지 집단의 주거 형태와 신라토기가 동반되는 양상처럼 신라토기가 동반되는지 궁금하다. 적어도 통일신라시대 이후의 양상에 대한 설득력 있는 보고가 진행되어야 한다.

경작유구는 중도유적에 광범위하게 형성되어 있는 것이 확인되었다. 경작유구 중 밭은 유구의 폐기 정황의 특성으로 인하여 조성시기, 사용 작물의 성격 등을 특정하기가 용이하지 않다. 때문에 대부분의 조사단에서는 삼국시대 이후의 경작유구로 지칭하고 구체적인 시기에 대해서는 언급하지 않고 있다. 다만, 한강문화재연구원에서 조사한 부분에 대해서는 조사단 시대 편년 '원삼국시대' 이전에 형성된 경작유구의 존재 가능성을 이야기 하고 있다. 한강문화재연구원에서 조사한 A3·A4·A5 구역 전면에 걸쳐 확인되고 있으며 마을의 형성에 따라 선후 관계가 확실히 확인된다고 이야기 하고 있다. 그런데 이러한 조사 성과를 취신한다면 이 경작층을 경작한 집단의 시기와 성격이 규명되어야 할 필요가 있다. 중도유적에서 지금까지 알려진 조사 내용을 종합하여 판단하면 청동기시대 전기 취락의 부재 현상과 여철자형 주거를 상용하는 집단과 청동기시대 중기 이후의 연결이 애매하다는 문제점을 지니고 있다. 따라서 여 · 철자형 마을의 형성 이전의 경작유구하면 경작유구와 주거지의 선후관계에 대한 명확한 증명이 선행되어야 할 것으로 판단되며 이 경작유구를 조성한 집단에 대한 규명도 앞으로의 과제가 된다[20].

그림 15. 춘천 중도유적 A4, A5 구역 경작유구 및 주거지

4. 미조사 지역

중도 일원에 있어서 시굴 조사 단계에서 지장물의 미철거 등으로 인하여 세밀한 지표조사가 진행되지 못한 지역이 존재하였다. 이에 따라 중도유적 북동쪽에 존재하였던 한성백제기 물질문화를

19 약식보고서를 종합하면 적은 수량의 수혈과 주거지가 조사되었다. 이 수량으로는 의미 있는 경관을 논의하기에는 한계가 있다.

20 그림으로 제공된 사진을 볼 때 경작유구를 주거를 축조할 때 파괴된 것으로 보인다. 그러나 수직 촬영을 통한 관찰에서 보이는 현상으로 조사 과정에서 층위 형성 과정을 어느 정도 확실하게 파악하였는지 제시가 되어야 한다. 실제 발표자도 춘천 율문리유적 발굴조사 과정에서 呂字形 주거가 경작유구를 파괴한 것으로 보는 오류를 범한 바 있다.

보여주는 지점에 대한 양상을 파악할 수 없는 상황이 되었다. 이 부분에서는 주조철기의 내범, 토기편을 재활용한 단야공정의 존재 가능성을 보여주고 있으며 한성백제 중앙양식의 기종인 뚜껑편이 수습된 바 있다.

따라서 중도유적 북반부 일원에 대한 적절한 매장문화재 보호 대책은 강구되어야 한다[21].

그림 16. 4대강 사업중 확인된 한성백제기 관련 유물

그림 17. 중도동유적 시굴 Tr. 배치도와 한성성백제기 유물 출토 지점

Ⅳ. 나가며

춘천 중도유적의 학술적 가치는 아무리 강조해도 모두 설명할 수 없는 유적이다. 중도유적은 적어도 북한강 상류에 형성된 여러 마을 유적 중에서 신석기시대부터 역사시대의 양상을 종합적으로 설명해주는 복합유적이라고 할 수 있다.

이러한 학술적 가치에도 불구하고 지금까지 청동기시대 마을과 "환호", 그리고 지석묘에 대한 관심이 주로 집중되어 왔다.

그러나 북한강과 소양강의 하천 활동에 따른 경관의 변화, 이러한 환경 변화에 적응한 경관의 변화 즉, 신석기시대의 마을 양상, 청동기시대 이후에 전개된 철기~삼국시대 마을의 변화, 전후에 형성된 것으로 추정되는 경작유구, 여·철자형 주거지와 경질무문토기를 상용하는 재지 집단의 변화상과 동북지역과의 상호작용, 고구려의 남진에 따른 묘재의 출현, 신라의 북진에 따른 마을의 변화에 대해서는 관심이 적었다.

춘천 중도유적은 이처럼 춘천의 역사를 종합적으로 간직하고 있는 타임캡슐이다. 적어도 이러한 관점에 대한 설득력 있는 규명이 이루어 져야 중도유적의 고고학적 성격과 학술적 가치가 규명되었다고 할 수 있다.

일본 규슈 요시노가리 유적의 발견과 정비 및 활용

히로세 유이치(廣瀨雄ㅡ 전 일본 사가현요시노가리유적 조사담당계장)
나카야마 키요타카(中山淸隆 일본 국학원대학 교수)

Ⅰ. 요시노가리 유적과 칸사키공업단지(神崎工業団地) 개발계획과 유적의 위기(危機)

요시노가리 유적은 일본 규슈(九州) 북부지역인 사가현(佐賀縣) 칸사키(神崎)에 위치한 야요이(弥生)시대의 마을과 묘지 유적이며, 고대 국가의 발전 과정을 볼 수 있는 중요한 유적으로서 국가의 특별사적으로 지정되어 있다.

요시노가리 유적의 가치는

① 일본을 대표하는 야요이 시대 최대 규모의 이중 환호와 취락이 완전한 형태로 남아 있고, 취락과 주변자연경관이 잘 남아 있다는 것.

② 야요이시대 전기부터 중기, 후기 취락의 발전을 잘 볼수 있고, 일본 열도내에서 나라가 어떻게 발전하는지 알 수 있다는 것.

③ 야요이 시대의 분구묘로서는 초기의 것이며, 권력의 분화의 과정을 알 수 있는 것.

④ 한반도계 석기, 무문토기, 송국리형 주거지, 세형동검 등의 유물이 출토되어 한반도와의 문화교류의 양상을 알 수 있다는 것.

⑤ 동탁(銅鐸)이 출토되어 이즈모(出雲)지역과의 관계를 생각할 수 있는 것.

⑥ 한반도나 중국대륙과의 교류의 창구인 대마도(対馬), 이키섬(壱岐), 카라쯔(唐津) 루트 외에 서적 아리아케(有明)해 루트를 생각할 수 있는 것.

⑦ 魏志倭人伝의 야마타이국(邪馬台國)의 기술에 아주 유사한 유구들이 발경된 것

등이다.

요시노가리 위치도

요시노가리 유적 일대는 유적의 보고(宝庫)로서 시치다타가시(七田忠志), 마츠오테이사구(松尾貞作), 무토모쿠니고로우(三友國五郎) 등 연구자들이 주목하고 있었다. 1952년에는 요시노가리 유적 주변의 미츠나가타(三津永田) 유적 독무덤에서 중국산의 거울이 출토되고, 중국과의 교류가 주목되고 있었다. 그리고 이들 지역에도 개발의 물결이 밀려왔다.

당시의 사가현은 『80년대 사가현 총합계화』을 책정하여, 식료 공급 기지로서의 역할을 완수하면서, 공업의 진전을 도모해, 지역의 활성화를 목표로 하고 있었다.

1981년6월 요시노가리 일대에는 칸사키공업단지(神崎工業団地) 개발이 계획되었다. 사가현은 농업을 생업의 중심으로 된 그다지 주요한 산업이 없는 현이었다. 그래서 새 산업을 유치하여 새로운 고용을 확보할 필요성이 있었다. 요시노가리 유적 주변에는 많은 유물의 산부지로서 일찍부터

고고학계에 알려져 있어서 문화재 조사가 중요한 과재였다.

칸사키공업단지(神崎工業団地)의 개발 구역은 67.6ha 중요한 유적 부분 4지전 6ha를 문화재 녹지(文化財緑地) 로서 보존하고 나머지 부분을 개발할 계획이었다. 유적의 조사 면적은 30ha이며 1986년에 구제발굴 조사가 실시되어 발굴 면적30ha 3년 계획으로 연간 10ha 조사원6명, 조사 작업원100명의 대규모로 조사가 실시되었다.

요시노가리 유적 위치(당시는 아리아케해에서 3Km)

요시노가리 유적의 조사 전 범위(황색선, 1986)

II 요시노가리 유적 긴급 조사

요시노가리 유적의 시와야연노쯔보(志波屋四の坪) 지구부터 조사가 시작되었다. 독무덤 줄은 약650m 이어지고 있고 조사구에는 남북 약 230m、동서 약 40m의 범의로 약 530기의 독무덤、석관묘 70기가 조사되었다. 그 독무덤에는 머리가 없는 인골이 출토되고, 또 10개의 부장분이 아닌 화살촉이 독무덤 안의 뼈에서 확인된 예는 당시의 전쟁의 양상을 잘 보여주고 있었다. 조사가 않된 부분도 포함하며 독무덤은 3,000기 이상이 있다고 생각된다.

독무덤줄(列)은30~40m구간 마다 하나의 구핵이 있고, 그 하나의 가족 집단 단위라고 생각할 수도 있었다. 그리고 독무덤줄의 주변에는 여러 개의 토광(土壙)에서 제사 토기가 출토 되었다. 독무덤에 관한 장례 제사가 있었다고 볼 수 있다.

독무덤에서는 보통 유물은 출토되지 않는다. 그 이유의 하나가 독무덤을 어머니의 모태 세계라고 생각하면, 유물이 없는 이유도 설명할 수 있다고 생각된다. 독무덤내의 손발을 내려놓음의 매장자세는 모태 안에 있는 태아의 모습을 모방하였다고 생각된다. 그 중에서 유물을 부장하는 예가 몇 가지 보인다. 독무덤에서 출토된 인골 속에는 조개 팔찌(貝釧)를 끼고 있는 인골이 몇 가지 출토되어 있다. 조개 팔찌를 끼고 있는 예는 소수의 특수한 예가 있기 때문에, 특별한 존재, 셔먼(巫)으로서의 가능성이 상정되어 있다. 또, 6살짜리의 여자아이 인골에 청자고둥제 조개 팔찌를 끼고 있고 태어날 때부터 무당에게 자리 매김을 했던 존재였다고 생각되고 있다.

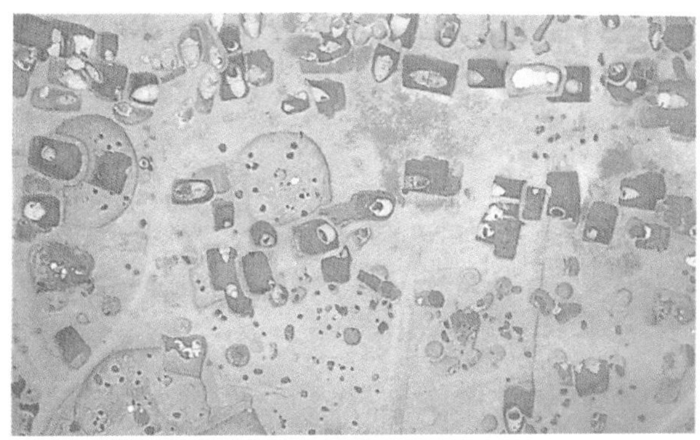

두 줄로 늘어서 있는 독무덤줄(列)

머리 없는 인골

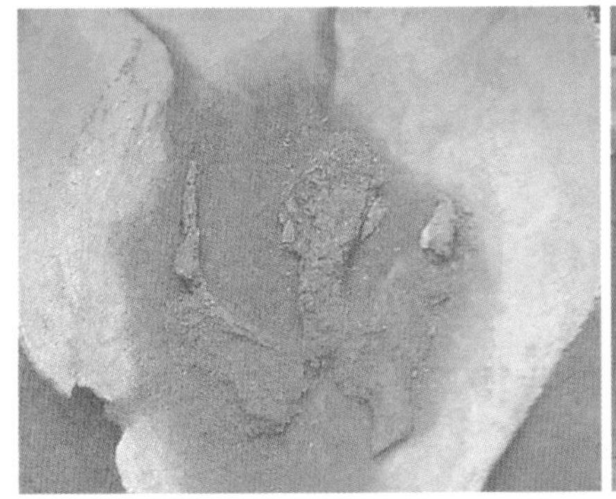

복부에 10개의 화살촉 인골

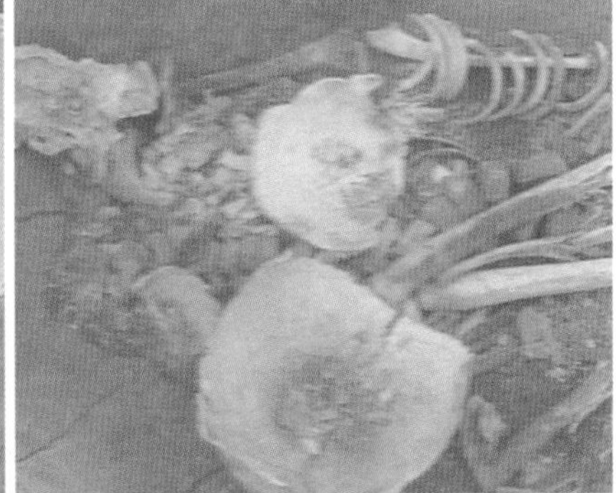

조개 팔찌(우 상) 소녀 인골

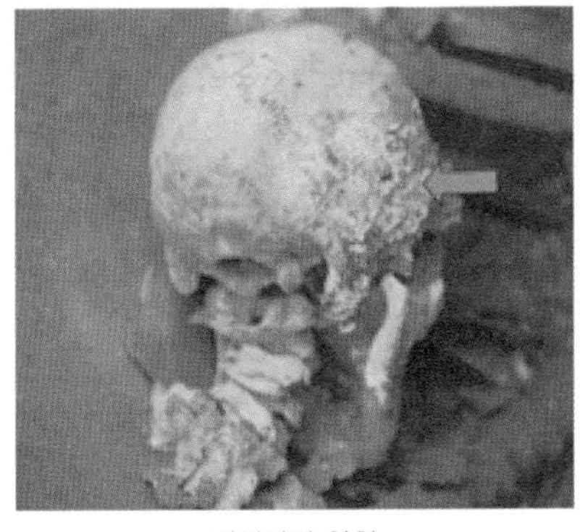

머리카락 위치

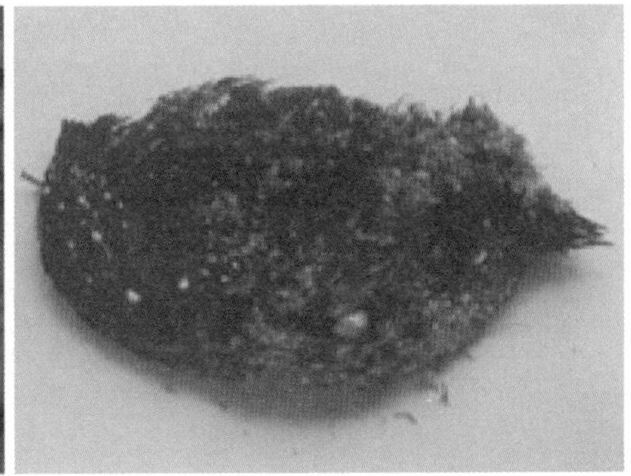

출토 머리카락

소매가 있는 옷

巴形銅器의 거부집(우)과 복원품

그밖에도 안면에 붉은 주(朱)를 칠한 사례도 있었다. 또 독무덤의 조사에서 머리카락이나 천이 출토되었다.

머리카락은 미즈라(角髮)라고 하는 일본 고분시대의 하니와(埴輪) 일치한 것은 특필해야 할 발견이었다. 또 천은 소매를 꿰맨 자리가 달려 있어, 소매가 있는 옷이 당시 있었던 것으로 확인되었다. 중기부터 후기 초기의6기의 독무덤에서 비단이나 대마섬유가 출토되고 있어,

1986년 후반에는 독무덤의 조사가 거의 종료되었다. 조사는 시와야 연노쯔보 (志波屋四の坪)의 서쪽 경사면에서 나라(奈良)시대의 관도(官道)나 고상창고 등의 기둥이 조사되었다. 나라(奈良)시대 유적에서는 문자가 적힌 토기나 벼루(硯), 연적(硯滴) 임원(官人)이 허리에 찬 띠 장식, 관청의 취사(炊事) 관계 시설을 의미한 "칸사키의 미사키 주"라고 쓰여진 토기도 출토되고 있다. 칸사이의 .「쿠리야(神崎廚)」이러한 문자가 적힌 토기도 출토되었다. 그 당시 군청이 존재했을 가능성이 제기되었다.

1987년 초두、취락의 조사가 시작되자 V자 형태로 깊이 3m, 상면의 폭이 6.5m 거대한 환호(環濠)가 발견됐다.

환호 검출 상황

환호는 총연장 450m에 이르는 야요이시대의 수혈 주거지는100건, 고상창고 20여건의 유구가 조사되었다. 환호에는 무수한 말뚝 자국이 확인되어서 방어를 위해 난립시켰던 것이 밝혀졌다. 1988년 9월 28일에는 토모에가타(巴形) 동기(銅器)의 거푸집의 발견 등, 주목받는 유물이 다수 확인되고 이것들의 성과는 언론에 기자회견을 통해 보도되고 있었다. 기자 회견은 통상, 현청에서 실시하는 것이었지만, 유적을 실제로 보여 주면서 매스컴에 정보를 제공하고 있었다.

이 방법으로 기자의 요시노가리 유적에 대한 이해가 한층 더 깊어졌다.

문화재 사이드와 언론 간의 연계가 이루어졌다. 지금까지 보아온 것처럼 이런 성과의 일부를 보기만 해도 요시노가리 유적이 특별한 유적이라는 것은 누구의 눈에도 뚜렷했다. 그러나, 이 시점에서는 누구도 개발의 움직임을 멈출 수 없다고 생각하고 있었다.

남내곽과 만루의 검출 상황

남내곽의 검출 상황

남내각 환호성에 방위용으로 설치되었던 역무목(말뚝) 검출 상황

Ⅲ 요시노가리 유적 보존에의 길

요시노가리 유적의 보전(保全)은 '9회말 2아웃부터 역전 홈런'으로 알려졌다. 앞으로 수일에 불도저에 의한 파괴는 정해져 있었다. 그러나 유적 조사 담당자인 '미스터 요시노가리' 타가시마추헤이(高島忠平) • 부자 2대의 요시노가리 연구자 시치다타다아키(七田忠昭)를 비롯한 조사 관계자의

상당수는 마지막 순간까지 두 번 다시 나타나지 않을 거대하고 중요한 요시노가리 유적을 어떻게든 보존할 수 있는 방법을 모색하고 있었다. 그러나, 현직원의 입장에서는 한계가 있어, 적어도 없어지기 전에 조금이라도 많은 연구자가 보도록 연락했다.

이러한 가운데, 카나사키히로시(金関恕, 당시 天理大学教授)는 유적의 희소성과 중요성을 인식하고, 당시 나라현립 가시하라(奈良県立橿原) 고고학연구소 소장인 히구치타카야수(樋口隆康, 에게 요시노가리 유적은 매우 중요한 유적이며, 꼭 유적을 봐야 한다고 연락했다. 그러나 공사 일정이 촉박하여, 히구치타카야수 소장의 유적 시찰이 착공 개시 후였다. 거기서 조사 담당자들은 본래 2월 15일부터 환호 취락의 부분으로 부터 공사가 시작될 예정이었지만, 히구치타카야수 소장의 시찰인 2월 22일까지 공사 연기를 공사 관계자에게 요청했다. 이 때, 공사계약은 종료하고 있어, 공사의 준비는 완료된 상태였지만, 공사를 담당하는 업자를 발굴 현장사무실로 안내해 유물을 보여주면서 유적의 중요성을 말하고 佐原 선생이 방문 예정인 22일까지 공사 시작을 기다릴 수 있도록 호소했다. 열의가 통해서 공사를 며칠 연기할 것을 승낙했다. (七田, 1991)

히구치타카야수 소장은 2월 22일에 요시노가리 유적을 방문하여 요시노가리 유적의 규모와 내용으로 유적의 중요성을 강하게 인식하고, 동행한 보도진에 의해서 요시노가리 유적의 중요성을 말했다. 히구치타카야수 소장은 기자들을 취재하기 위한 헬리콥터까지 상공에서 촬영할 정도로 언론이 주목하고 있었다.

요시노가리 유적 보존 실행 과정 도표

사가현 카쯔키 지사 요시노가리 유적의 보존을 결단했다.

히구치타카야수 소장과 야요이(弥生) 시대의 초일류 연구자들의 발언은 언론보도의 힘이 되었다. 그리고 다음날 2월 23일 요시노가리 유적은 운명의 날을 맞이했다. 요시노가리 유적은 전국에 알려진 가장 유명한 유적의 하나가 되었다. 이른바 요시노가리 열풍의 시작이었다.

신문이나 텔레비전의 보도를 접한 사람들은, 요시노가리 유적에 밀어 닥쳤다. 당시의 상황에 대해서 시치다타다아키(七田忠昭)는 저서에서, 그 때의 모습을 말하고 있다. 「다음 24일은 쇼와 천황의 "타이소우노레이(大葬の礼)"에서 휴일이 된 것도 있고, 아침 일찍부터 많은 관람객으로 유적이 몹시 혼잡했다.」「(七田, 1991)

朝日新聞
邪馬台国時代の「クニ」
最大級の環濠集落発掘
物見やぐら・土塁

요시노가리의 기사(朝日新聞1989.2.23.)

당시의 신문보도에서는 야마타이고구(邪馬台国)와 유사한 유적이 규슈에서 발견되었다고 보도되었다. 야마타이고구(邪馬台国)는 환상의 여왕국이며, 긴키지방에 있었다고 하는 설과 규슈에 있었다고 하는 설이 있어, 논쟁이 반복되고 있었다. 일본인들에게 야마타이고구(邪馬台国)는 역사의 낭만 그 자체였다. 그리스 신화 속의 트로이 와도 같은 존재다. 고고학이라는 학문은 대학의 연구자만이 하는 학문이 아니라 중학생이 일반 시민이 큰 발견을 한다는 프로와 아마추어의 경계가별로없는 학문이며, 발견은 일반 시민의 역사에 대한 낭만을 불러일으켰다. 매스컴은 쇼와 천황의 서거라는 과거의 묵직한 기사와 동시에 요시노가리 유적의 발견과 미래의 희망과 반복해서 기사를 썼다.。

『위지(魏志)』 왜인전(倭人伝)의 그곳에서 한 여인을 왕으로 세우고 ~궁실에 살고 성책(城柵)은 엄격하며 망루이 있어 언제나 병사가 지키고 있다.「乃共立一女子為王~居處宮室 楼観 城柵厳設常人有持兵守衛」와 일치하고 있고, 야마타이고구(邪馬台国)와 직접 묶지는 않겠지만, 당시의 나라의 상황을 알 수 있다」(朝日新聞,1989.2.23)

니시타니타다시(西谷正, 당시 九州大学教授)는 "요시노가리 유적은 야마타이고구(邪馬台国)의 시대와 겹쳐져, 특정은 할 수 없지만 『위지(魏志)』 왜인전(倭人伝)에 기재된 기사의 중심적인 취락 야마타이고구(邪馬台国) 논쟁 속에서 지금까지 규슈에는 취락이 적다는 것이 규슈설의 약점이었지만, 긴키 지방에도 필적하는 취락이 새롭게 발견된 것으로 야마타이고구(邪馬台)国 논쟁에 새로운 하나의 돌을 던졌다. 또 환호나 망루는 당시의 취락의 실태를 규명하는데 있어서 중요하다" 고 하였다.(西日本新聞, 1989.2.23)

1989.2.23에는「 사가현의 자연과 문화를 지키는 회」는 사가현에 대해서 공사 중지 등을 호소

하여 시민 레벨에서도 보존의 움직임이 가속해갔다.

이러한 가운데서 1989년 2월 27일에 타가시마후헤아(高島忠平, 당시 사가현교육위원회 문화과참사)이 도쿄에 가서 문화청에 대해 "규모, 출토품 등에서도 나라의 문화재로 지정해 주었으면 한다"라고 요망했다. 문화청(文化庁) 기념물과의 카와하라수미유키(河原純之) 문화재 조사관은 "사적 지정을 하고 싶다면 좀 더 폭 넓게 조사하고, 유적의 실태를 분명히 해야 한다."고 해서 유적지정에 대한 긍정적인 발언을 했다. 3월10일 부터 조성 시작할 계획이었던 칸사키공업단지 개발에 대해서 유적의 보존 범위를 더 넓히는 등의 계획 재검토를 현 교육위원회에 역제안했다.

앞으로는 조금이라도 유적을 남기고 싶은 문화재 측과 조금이라도 더 개발하고 싶은 개발자들 사이의 줄다리기가 시작되었다

사가현 카쯔키(香月) 지사(知事)는 요시노가리의 유적의 보존 문제에 대해서,「공업단지 건설의 기본적인 방침에는 변경이 없다. 개발에는 문화청의 승인이 필요하고 협의에는 시간이 걸리는 만큼 3월 10일 착공은 연기해야 할 것이다. 건설의 기본 방침은 변하지 않지만, 보존 지역의 개편은 있을 수 있다.」(西日本新聞 1998.3.28) 그때까지는 망루부분이나 이중환호의 네부는 보존지역이 아니었던 것이 큰 문제였다.

개발인가 보존인가 사가현 측에서도 개발 및 보존 문제가 논의되고 있었다.

文化庁에서의「보존 범위를 더욱 넓히는 등의 계획의 재검토를 현교육위원회에 대한 역제안」에 대해서「사가현의 재정, 이에 출자하고 있는 시정촌의 재정은 취약해, 공업 단지를 할 수 없으면 투자한 자금을 잃어버리고 만다. 또, 현에서 문화재 보존지역을 넓히기 위한 토지를 사들이는 재정적인 여유는 없었다. 원래 문화청은 이미 개발을 허용했고 현지인도 공단 고용을 기대하며 땅을 팔았다. 또 현비가 막대한 투자가 이뤄지고 있어 공사계약도 마쳤다. 사가현 발전을 위해서는 규슈 자동차도에 근접하는 유리한 위치에 있는 공업단지는 중요하며, 많은 고용을 창출할 수 있는 매우 중요한 사업이다. 사가현의 프로젝트다. 문화청도 개발을 한 번은 허용하지 않았는가. 이제 와서 무슨 소리냐」라고 강하게 반발하고 있었다. 당시 井本 副知事는 공명당의 현 의단에 대하여「원래 공단으로서 사업을 시작한 것이지 문화재를 지키겠다는 입장에서 비롯된 것은 아니다.」라고 현의 괴로운 입장을 말하고 있다.

2월말에 분구묘(墳丘墓)의 존재가 확인되고 시굴한 결과 야요이시대의 분묘임이 확실해 졌다. 그런 흐름 속에서 일단 분구묘 조사를 기다리고 보존 방침을 결정하겠다는 것으로 되어, 동년 3월 2일부터 분구묘 조사가 시작되었다. 香月知事는 발굴을 앞둔 분구묘 앞에서 "분구묘가 나올 것 같다"라고 말했다. 이때쯤부터 매스컴의 관심도 높아져 매일 4시에 공동 기자 회견이 열리고 있었다. 바로 언론이 지켜보는 가운데 분구묘의 조사가 시작되었다. 조사를 한 지 얼마 되지 않아 옹관이 확인되었다. 게다가 주홍이 칠한 특수한 독관이었다. 3월 2일 기자 회견에 이를 설명하고 있다고 분구묘에서「신 났다ー」라고 환성이 터졌다.

요시노가리 銅劍이 출토된 순간이었다. 보도 기자들은 항상 요시노가리에 가득 차 있었다. 高島忠平은 보도진에 긴급기자 회견을 열어 즉석 그 발견을 공개하는 결단을 내렸다. 주홍색으로 칠한 독널관에서 출토된 유병동검과 아름다운 감벽색을 한 유리제 관옥이 사람들의 마음을 사로잡

았다. 七田씨는「이것으로 요시노가리 유적은 남아있을지도 모른다」란 촉감을 갖고 있었다. (七田 1991) 그러나 우적은 아직 보존이 결정된 것은 아니었다.

분구묘 1002호 독무덤의 조사동검과 유리관옥이 출토되었다.
일본 전국이 주목하는 가운데 조사가 이루어졌다.

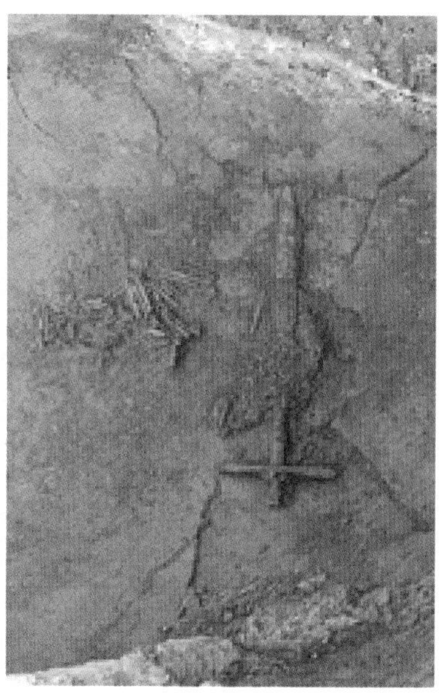

동검과 유리제관옥 79점, 유리제관옥 소재는
중국..제작은 한반도나 규슈

분구묘 발굴 상황. 남북 약 40m동서 약 27m 14기 독무덤 중 8기에서 세형동검 출토

3월7일에 분구묘를 시찰한 香月知事는,「정말 훌륭하다」고 말하고 시찰 후의 기자회견장에서,「일본전국에 자랑할 수 있는 귀중한 유적이다, 문화청과 협의를 하면서 사적 지정을 요망해야 한다. 환호 취락은 물론, 분구묘에 걸친 구역이라도 넓게 범위를 남기야 한다ㅣ」라는 발언을 했다.「이것으로 유적을 남길수 있겠다.」발굴 사무소에 있었던 모든 사람들이 흥분했다. 그리고 기자들은 박수를 쳤다. 그가 요시노가리 유적의 보존의 판단에 결정적인 영향을 미치게 되었다(七田1991)

이렇게 해서 1998년 3월에 키쯔키(香月) 지사의 결단에 따른, 칸사키공업단지(神崎工業団地) 개발 계획은 완전히 중지되면서 요시노가리 유적은 전면 보존과 그 후의 공원 정비 방침이 확정됐다.

Ⅳ 요시노가리 유적의 보존과 活用

국토 교통성과 현의 구역으로 나누어 1992년 국영 요시노가리 역사 공원으로 정비하는 것이 결정되고 국영 공원 구역 주변에 사가현의 공원 구역을 설정하는 나라와 현이 일체가 된 역사 공원으로, 2001년 4월부터 그 일부가 개장 2017년 7월 15일 현재 면적 약 104.0ha(국영공원 약 52.8ha, 현립 공원 약 51.2ha)가 개방된다. 요시노가리 역사 공원에서는 유적 방문자 이외에 다양한 이벤트를 진행하고 올해는 관람객 70만명을 기록했다. 그리고, 요시노가리 유적의 매력 중 하나는 미발굴의 지점이 계획적으로 남아 있다는 점이다. 앞으로도 역사를 바꿔치기하는 발견이 있을지도 모른다.

国営吉野ヶ里歴史公園

- 1992년 国営吉野ヶ里歴史公園으로서 정비하기로 각의 결정되어、또한 국영공원구역 주변에 사가현에 공원구역을 설치히여、국가와 현이 일체가 된 역사 공원으로서、2001년4월부터 그일부가 개원(開園)、2017년7월15일 現在 面積約104.0ha(国営公園約52.8ha 、県立公園約51.2ha)이 개원하고 있다.

요시노가리 유적 1992년 국영공원으로 지정

그러나, 완전히 조사를 해버리면 로망이 없어져 버린다. 우리는 미래에 앞선 기술로 유적을 조사하는 좋다고 생각하고 있다. 요시노가리 유적에는 미래의 사람들에게 선물로서 미발굴의 지점이 보존되어 있다. 현시점에서 모두 해명할 필요는 없다고 생각하고 있다.

유적은 보존과 함께 활용에 중점을 두고 요시노가리 방식으로 불리는 과잉 복원과 비판도 있는 사적 공원 정비가 추진되고 있다. 엄격한 복원에 구애받지 않고, 일반시민이 야요이 시대를 즐길 수 있는 공간을 만들어, 사적 활용을 도모하고 있다. 동시에 발굴조사도 실시해, 여기에서는 최신의 정확한 정보를 견학자에게 직접, 제공하고 있다. 또 고대의 체험 이벤트도 많이 한다. 현재는 발굴이 중단되어 있지만 발굴에 대한 요청과 요시노가리 박물관의 건립 요망이 강하다.

〈参考文献〉

西日本新聞社編1989『九州文化シンポジウムー邪馬台国のロマンを之止めてー요시노가리 유적と倭人伝』

小林達夫他1990「座談会 요시노가리 유적をめぐって」『国学院雑誌』第91巻1号

七田忠昭1991『古代の謎をさぐる 요시노가리 유적発掘』ポプラ社教養文庫

남내곽의 복원 상황

독관 묘열의 복원 상황

분구묘 시설 내부

분구묘 공개

이중 환호와 창고군

북내곽의 복원 상황

역사 공원의 자원 봉사자

역사 공원 관람객

吉野ヶ里遺蹟の意義と活用

中山清隆・廣瀬雄一

1．発掘調査の経緯と経過

佐賀県神埼郡神崎町・三田川町、有明海沿岸の遺跡。佐賀平野東部地域は弥生時代遺蹟の宝庫である。1981年６月、神埼工業団地計画が浮上（佐賀県主管）。確認調査を経て1986年５月から本格的発掘調査開始。約30haを3年間で調査。１年間で10haの工程。

1989年2月全国紙１面、「世紀の大発見」、邪馬台国（卑弥呼）成立前夜『魏志倭人伝』記述証明環濠集落とその周辺約22haについては工業団地の造成中止し、これを保存。異例の早さで国指定史跡に指定された。

＊納富敏雄1997『吉野ヶ里遺跡保存と活用への道』

吉野ヶ里保存の功労者は文化財担当職員のみならず、開発部局の担当職員の苦悩

そこに人間の「ドラマ」がある。

2．吉野ヶ里丘陵の集落

巨大な高床倉庫

3．環濠集落の形成

「逆茂木」…愛知県朝日遺蹟

4．甕棺墓群と墳丘墓

墓地…2列縦長。延々と800mつづき、長さ300mの部分で600基の甕棺

環濠集落のなかの墳丘墓…1002号甕棺出土の有柄銅剣とガラス製管玉

青銅器の鋳型…矛・剣・巴形銅器

吉野ヶ里遺跡の学術的価値は、原始国家の形成過程と空間的なひろがりを遺跡の変遷や遺構の配置から把握しうることにある。40haに及ぶ壮大な規模の環濠集落と墳丘墓は弥生時代としては全国屈指の巨大遺跡である。内容豊かで情報量も多く、魏志倭人伝に記録された世界一古代の「クニ」を彷彿とさせるにふさわしい遺跡である。

紀元前３世紀前半 ~ 紀元後４世紀くらいまでつづいた遺跡で環濠集落の絶頂期からすると邪馬台国の時代ではなく、その前夜の古代「国家」である。

吉野ヶ里遺跡は現・上皇（平成時代の明仁天皇）が参観したまさしく「天覧」遺跡である。近代以後、福岡県に比べてなにかと存在感の薄い佐賀県であったが、吉野ヶ里遺跡の保存と活

用によって町おこしは成功し、いまや西北九州における一大観光地となり、土日休日にはJRの特急列車が吉野ヶ里公園駅（旧・国鉄三田川駅）に停車する。佐賀県はもともと農業立県で、焼き物の有田と嬉野・武雄温泉くらいが観光のポイントといえるていどであった。小生の認識でいえば、吉野ヶ里のある神埼郡一帯は30年以前は純農村地帯で、一面水田が広がり、名産といえば「神埼ソーメン」くらいであった。それが西北九州では長崎市、ハウステンボスとならぶ観光の目玉として全国に知られ、学校の歴史教科書にも登場するまでになった。未開発のまま、残った幸運な遺跡である。

今回のセミナーでは、まず中山が環濠について説明し、佐賀県に27年間（うち6年間吉野ヶ里遺跡事務所に勤務）奉職し、現在釜山に在住する廣瀬雄一先生が保存と活用につい

てパワーポイントで紹介したい。

環濠と環濠集落

吉野ヶ里遺跡は有明海にそそぐ河川に囲まれ、また内海の有明海にはすぐに出られる地理的位置にある。

吉野ケ里は日本最大の環濠をめぐらした紀元前1世紀から紀元3世紀にわたる「環濠集落」である。30~50haの広大な面積はそれまで最大だといわれた近畿地方の唐古・鍵遺跡の環濠は20~30haで、大阪府の池上・曽根遺跡が7ha、愛知県朝日遺跡が5haである。環濠遺跡は日本列島では200以上みつかっているが、おおくは1ha未満のもので、30haはずば抜けた規模である。九州でも環濠集落が発見されているが、1~3haの小規模なものがほとんどだといわれてきた。これら九州の環濠内にはあまり住居址がなくて、貯蔵穴が見つかることが多かったが、吉野ヶ里遺跡は濠をめぐらした大規模な集落で注目を集めた。

吉野ヶ里遺跡の環濠は外濠と内濠とがあり、外濠は総延長2.5㎞以上あり、吉野ケ里の丘をめぐる。集落は南半部にあり、南北約150m、東西約100mのいびつな長方形で、竪穴住居址が内濠に営まれている。内濠の中心には空間地がある。内濠の一部が半円状に突出する部分（「張り出し部」）があって、そこに6本の柱跡からなる掘立柱建物跡があり、物見やぐら（見張り台）と推定された。「魏志」倭人伝に“楼観”とある、濠は空濠で、濠を掘削した土は外側に盛って土塁とし、木柵をたてて城柵とした。二重の濠がそれにあたる。濠の最大幅は6.5m、深さは3mである。V断面である。城柵には門構えの出入口がある。内濠内には「宮室」をおもわせる区画があり、「魏志」倭人伝に卑弥呼の居処の記述「宮室・楼観・城柵を厳しく設け、常に人がいて、武器をもって守備している」を再現するかのようである。外濠の外側には高床倉庫群があり、「魏志」倭人伝の文中の「租賦を収むるに邸閣あり」の邸閣を指すのである。環濠集落の北辺には墳丘墓があり、祖霊が眠っている。

吉野ケ里は邪馬台国ではない。邪馬台国は3世紀初頭から中頃に栄えたクニで、環濠集落としての絶頂期は半世紀以上前である。

「魏志」倭人伝に登場する30余のクニグニのひとつで、王か族長の住む中核的な集落であろう。これを「国邑」とよんでもいいかもしれない。

춘천 중도유적 청동기시대 물질문화의 계보와 의미

홍주희((재)강원고고문화연구원 연구원)

Ⅰ. 머리말

2000년대 이후 화천 용암리·춘천 천전리유적 등의 대규모 유적조사가 급증하면서 북한강유역 일원에 형성된 청동기시대 유적들이 주목받기 시작했다. 현재까지 확인된 북한강유역의 청동기문화는 조기-전기-중기-후기의 4분기에 적합한 전개양상을 보인다. 조기에는 돌대문토기와 석상 또는 점토상 위석식 노가 설치된 대형 (세)장방형 주거지(미사리식 주거지)를 표지로 하는 미사리 문화유형이, 전기에는 이중구연토기와 구순각목문, 공열문 등 다양한 문양이 복합 또는 단일 시문된 토기와 복수의 수혈식 노가 설치된 (세)장방형 주거지(역삼동식 주거지)를 표지로 하는 역삼동 문화유형이 확산되어 조기와 전기문화는 중부지역과 궤를 같이 한다. 이후 중기에는 천전리식 주거지라는 독특한 주거형태와 공열문토기와 무문토기, 유경식 석창, 일체형석촉 등의 물질문화를 기반으로 하는 '천전리 문화유형'[22]이 형성되었으며, 이 문화유형은 원형점토대토기 물질문화가 유입되는 후기까지 지속된다.

최근까지의 중부지역 유적조사 성과에 따르면 천전리 문화유형은 서쪽으로 한탄강유역과 경기도 광주, 남쪽으로는 남한강유역의 평창, 원주에 이르는 넓은 지역적 분포를 보이고 있어 한반도 중남부지역의 송국리 문화유형과는 대별된다. 북한강유역 내에서는 화천, 양구, 춘천, 가평, 홍천 등 북한강 상류로부터 하류에 걸쳐 분포하고 그 중에서도 춘천분지는 유적과 유물의 밀집도가 가장 높다.

춘천분지를 포함한 북한강유역의 청동기시대 문화에 대해서는 취락과 편년(김권중 2005·2009; 정원철2007·2012), 취락의 전개와 석기생산체계(홍주희 2009·2017)등에 관한 여러 논고가 발표되었으나 정작 문화의 계보와 정체성을 파악하려는 노력은 미진했다. 뒤늦은 감이 없지 않지만 본 발표를 중도유적을 비롯한 춘천분지 일원에서 집중되고 있는 한반도 북부에 계보를 둔 물질문화양상을 살펴보고 고고학적 의미를 파악하는 계기로 삼고자 한다.

Ⅱ. 청동기시대 취락의 전개와 중도취락

춘천분지 내에 분포하는 청동기시대 취락은 주로 북한강과 소양강변 충적지에 입지한다. 북한강변에는 신매리·현암리·금산리·중도유적, 소양강변에는 천전리·율문리·산천리·우두동유적이 분포하며 거두리·삼천동유적은 강안 또는 지류지천과 인접한 구릉상에 입지한다.

춘천분지 내 취락의 전개과정을 살펴보기에 앞서 북한강유역의 청동기시대 편년을 살펴볼 필요가 있다. 북한강유역의 청동기시대는 주거구조와 토기를 기준으로 조기(미사리식 주거/돌대각목문토기문화 ~2900B.P.)-전기(역삼동식 주거/이중구연·공열문·구순각목문 등 복합문토기문화

2900~2700B.P.)-중기(천전리식 주거/공열문토기문화 2700~2500B.P.)-후기(수석리식 주거/원형점토대토기문화 2500~2300B.P.)로 편년한다.

조기의 상한과 후기의 하한연대는 명확치 않지만 유구와 유물의 상대편년과 절대연대(방사성탄소연대측정값)를 종합해 보면 조기는 2900B.P.를 상회하고 후기의 하한은 2300B.P.를 전후한 시점으로 판단되며 각 분기는 대체로 약200년간 지속된 것으로 보인다. 필자는 취락의 세부양상을 파악하고 동시기성을 최대한 확보하기 위해 각 분기를 전반과 후반으로 세분하였는데, 그 기준은 새로운 문화도입후 기존문화와 병존하는 시점을 기준으로 하였다.

주로 취락을 구성하는 주거지의 시기별 배치양상을 살펴보면 조기와 전기에는 點狀 또는 列狀으로 분포하는 것이 일반적이다. 특히 조기에는 주로 점상의 분포를 보이며, 중도유적은 여타의 유적에 비해 조기 주거지의 수가 상대적으로 많아 線狀 내지 面狀일 가능성도 있다. 현재까지 보고된 주거지의 구조와 출토유물을 감안하면 중도유적의 청동기시대 취락은 조기 후반까지 성행하였다가 전기에는 쇠퇴한 것으로 보인다. 북한강유역 이외의 지역도 유사하지만 조기의 물질문화와 취락형태는 전기 전반까지 일부 지속될 뿐 대체로 전기와는 단절적인 것이 특징이다.

전기의 열상배치에서 변화가 감지되는 것은 전기 후반 무렵이다. 주거지 구조적인 측면에서 역삼동식 주거지 내에 작업공을 설치한 용암리식 주거지(변형 역삼동식 주거지)가 출현하며, 역삼동식 또는 용암리식 주거지들은 4~8동의 군집을 이루어 면상배치를 보인다. 이러한 면상배치는 가까운 혈연관계를 기반한 주거지 축조와 관련된 것으로 추정된다.

중기 이후에는 면상배치가 복합된 다면상의 배치로 변화되며, 단위 주거군집은 복수의 천전리식 주거지와 공방이 조합되었다. 중기 이후 어느 정도의 인구증가는 예상되지만 전기의 주거지가 복수의 세대로 구성된 세대공동체 주거공간임을 전제한다면, 면적이 축소되고 방형화된 천전리식 주거지의 증가는 인구의 급증이 아닌 세대공동체 분화의 결과로 볼 수 있다. 이와 같이 다면상 배치는 세대공동체로부터 분화한 개별세대가 혈연관계에 따라 군집된 양상으로 보는 것이 합리적이다.

조기에 쇠퇴한 중도취락이 성행하게 된 시점은 중기 이후로 판단된다. 개별 주거지 출토유물을 종합적으로 검토해 편년한다면 이 무렵 중도취락의 양상을 명확하게 파악할 수 있을 것이다. 현재까지 춘천분지 내 취락의 양상으로 보아 중도유적의 중후기 취락도 다면상의 배치를 보일 가능성이 높다.

청동기시대 취락의 개념은 주거공간, 생업관련 경작지와 수공업 생산공간, 저장공간, 사후영역에 해당하는 분묘와 의례행위공간, 폐기장, 도로 등의 요소를 포괄하며(이형원 2009), 이들 요소를 모두 갖춘 취락을 상위취락으로 구분한다. 중기 이전까지 주로 주거공간과 분묘공간으로 구성된 취락이 형성되었고 중기에 이르러서야 다양한 공간을 포함한 취락이 등장한다.

실제 조사를 통해 이러한 취락 요소가 종합적으로 밝혀진 예는 드물기 때문에 주거공간과 경작지, 수공업 생산공간, 저장공간, 분묘공간을 두루 갖춘 중도취락은 주거공간 또는 주거와 분묘공간만으로 구성된 취락과는 다른 위계를 지닌 상위취락으로 볼 수 있다. 다만 각각의 공간과 유구간의 동시기성이 전제되어야 하기 때문에 동일 공간에 위치한다고 해서 섣불리 동시기로 구분하는 것은 지양해야 한다.

중도유적이 조사되기 전까지 천전리유적은 대표적인 상위취락으로 알려졌다. 천전리유적은 전기에 주거공간과 분묘공간(주구묘군)이 형성된 후, 중기에는 경작지(반구상 경작유구), 수공업 생산공간(공방), 저장공간, 함정열, 지석묘구(천전리 지석묘군) 등 대부분의 취락요소들을 갖추었다. 따라서 전기 후반 무렵 취락으로서의 면모가 보이기 시작했고 중기 이후에서야 천전리유적과 중도유적 등의 상위취락과, 중위 내지 일반취락이 병존해 취락간 위계가 형성된 것으로 판단된다.

고고학적으로 취락간의 상대적인 서열(위계)은 취락과 묘역(구)의 규모, 청동기 등의 위세품의 유무 등을 기준으로 판단하는데, 상기 취락 대부분이 전모가 밝혀진 경우가 드물어 일부 조사자료

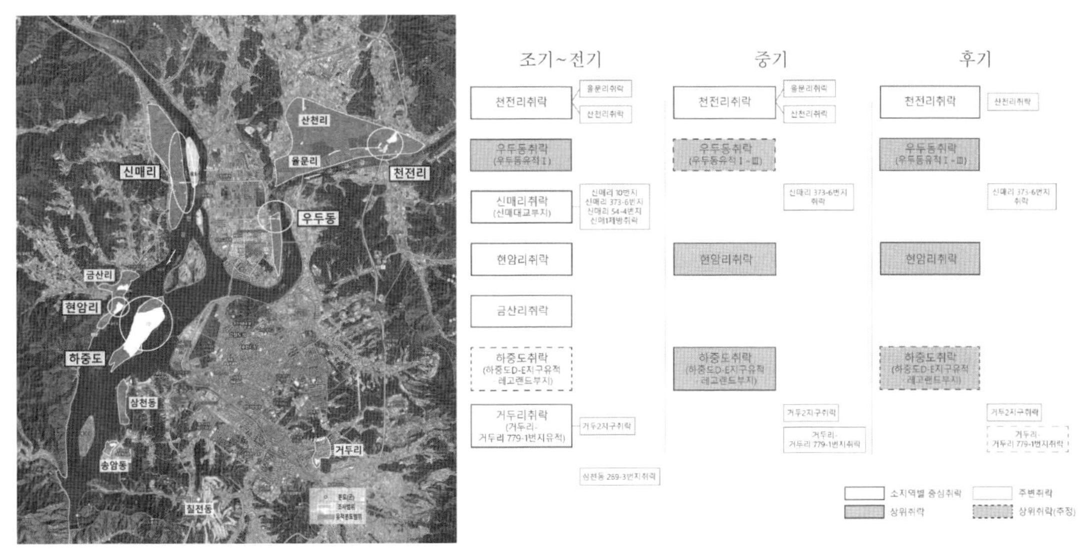

도면 1. 춘천분지 내 취락분포현황과 시기별 변천(안)

를 통해 추정할 따름이다. 현재로서는 중도유적의 중기와 후기 취락의 규모를 판단하기 어렵지만 묘역식지석묘구가 별도로 형성되었고 주거지와 지석묘에서 비파형동검 2점과 선형동부 1점이 출토되어 상위 중심취락으로서의 조건을 충분히 갖추고 있다고 보아야 한다.

Ⅲ. 물질문화의 계보와 경로추정

중도유적이 춘천분지에서 상위취락으로서의 위상을 지니게 된 데에는 여러 가지 요인이 있겠지만, 그 중 하나가 주변지역과의 교류(역)의 구심점으로서의 역할이며 결과로서 외부 물질문화 또는 모방품이 확인된다.

청동기시대 조기의 물질문화는 돌대(각목)문토기, 이중구연토기, 외반구연토기, 마연토기 등의 토기류와 장방형석도, 유·무경식 석촉 등의 석기류가 대표적이다. 이러한 물질문화의 계보는 요동지역에 기원을 둔 동·서북한 물질문화의 조합이며, 춘천분지를 비롯한 한반도 중남부지역으로 확산되었다. 돌대문토기는 동북한과 서북한에서 모두 확인되는 요소이지만 이중구연토기와 외반구연토기는 압록강과 청천강유역의 토기상에 해당하고, 두만강유역에서는 남한지역의 전기와 병행하는 3

단계까지 석도, 석촉 등의 마제석기류 보다는 흑요석제 타제석기와 골각기를 주로 사용하였다(배진성 2007). 또한 압록강유역 상류에서 두만강유역의 물질문화가 관찰되는 것을 참고할 때 한반도 중부 이남의 조기 물질문화는 서북한지역의 영향이 상대적으로 강했고 동북한지역의 문화요소는 서북한지역을 중간 계보로 전래된 것으로 판단된다. 따라서 중부내륙에 위치하는 북한강유역은 고고학적으로 한반도 북부의 물질문화가 교차하거나 남부로 확산되는데 중요한 역할을 했을 것으로 추정된다.

최근 정선 여량리(아우라지)유적과 춘천 근화동유적에서 조기 후반~전기 전반의 가장 이른 청동기가 출토되었지만 본격적인 청동기가 출토된 것은 전기 후반이다. 춘천분지 내에서는 전형적인 비파형동검에 선행하는 고식동검이 우두동유적 석관묘에서 출토되었다. 이 동검은 비파형동검에 비해 길이가 짧고 돌기와 자돌이 없는 것이 특징이며 황남 배천 대아리, 황북 신평 선암리, 광주 역동, 대전 비래동, 서천 오석리, 금릉 송죽리유적 등에서 출토되었다(庄田愼矢 2007). 고식동검의 계보는 명확치 않지만 지석묘단계 이전 대동강유역 황해도 일원에 분포하는 석관묘 문화와 관련이 있는 것으로 추정된다.

한편, 천전리유적 3호 주구묘 주구 내에서는 공부 주변이 돌출된 환상석부가 (미)완성 방추차와 함께 출토되었다. 환상석부는 주구 내외측에서의 의례행위 후 매납된 것으로 추정된다. 환상석부는 요동지역 쌍타자 1·2기에서 계보를 찾는 것이 일반적이지만 공부 주변이 돌출된 환상석부와 다두석부는 유단석부, 석화 등과 함께 대동강유역의 재지적인 특성이 강한 유물이다[23].

주로 석기류에서 확인되었던 대동강유역의 물질문화가 본격적으로 확인된 것은 중기부터이며 가장 대표적인 유물은 팽이형토기이다. 화천 용암리유적 52호 주거지에서 기벽이 얇고 흑색 슬립이 입혀진 팽이형토기 저부 2점이 최초로 출토된 후 중도유적 A구간에서 용암리유적 출토품과 유사한 팽이형토기[24]가, 중도유적 4대강 사업구간 D-E구역에서는 호형의 팽이형토기를 모방한 호형토기가 출토되었다. 용암리유적과 중도유적에서 출토된 팽이형토기는 팽이형토기 Ⅳ기에 속한 입석리와 미림리유적 출토 토기와 유사하며 무문토기 태토와 제작기법으로 모방토기를 현지 제작한 것으로 추정된다.

아울러 필자는 중기에 유행한 어깨가 강조된 기형의 호형토기(이하 유견 호형토기)도 대동강유역 팽이형토기와 호형토기의 기형에서 영향을 받은 것으로 판단한다. 유견 호형토기는 화천 용암리·거례리, 춘천 천전리·우두동·중도, 가평 달전리유적 등 북한강 중상류에 주로 분포하며 후기에 원형점토대토기가 유입되면서 쇠퇴한다. 이 호형토기에 대해서는 그간 북한강유역만의 독특한 기형으로 인식되었을 뿐 계보에 관한 연구는 없었다. 이러한 유견 호형토기는 대동강유역 고연리유적 2기에 속한 1·7·9호 주거지에서 출토된 호형 팽이형토기와 평저 호형토기의 기형과 매우 흡사하며, 고연리 2기는 북한강유역 중기와 병행하는 시점이다.

---

23 공부 주변이 돌출된 환상석부는 황주 심촌리유적 2호 주거지 출토품과 흡사하다. 성형석부는 율문리유적 74호 주거지에서 출토되었다. 발굴조사 보고서가 간행되지 않았고 유물의 명확한 형태와 출토유구, 공반유물에 대한 구체적인 상황을 알 수 없으므로 본 발표문에서는 언급만 해 두고자 한다.

24 이 유물에 관해서는 약식보고서에 수록되지 않았다. 조사자가 유물에 관한 자문을 구하는 과정에서 파악하게 된 사항으로 천전리식 주거지에서 출토되었다는 정보 뿐이므로 본 발표에서는 존재만 언급한다.

중기의 석기류로는 유경식 석검, 일체형석촉, 유단석부를 들 수 있다. 유경식 석검은 대동강유역에서 일찍이 성행한 석검의 형태로 춘천 천전리·산천리 등 중기 전반에 확인되지만, 석검 보다 유병(경)식 석창이 주로 제작되는 중기 후반 무렵에는 소멸한 것으로 보인다.

일체형석촉은 납작한 슴베와 평면 능형인 촉신 하단의 경계가 불분명해 붙여진 명칭으로 독사머리를 닮아 사두형석촉이라고도 하며 유경식 석촉 중 일단경석촉의 범주에 속한다. 본래 요동 북

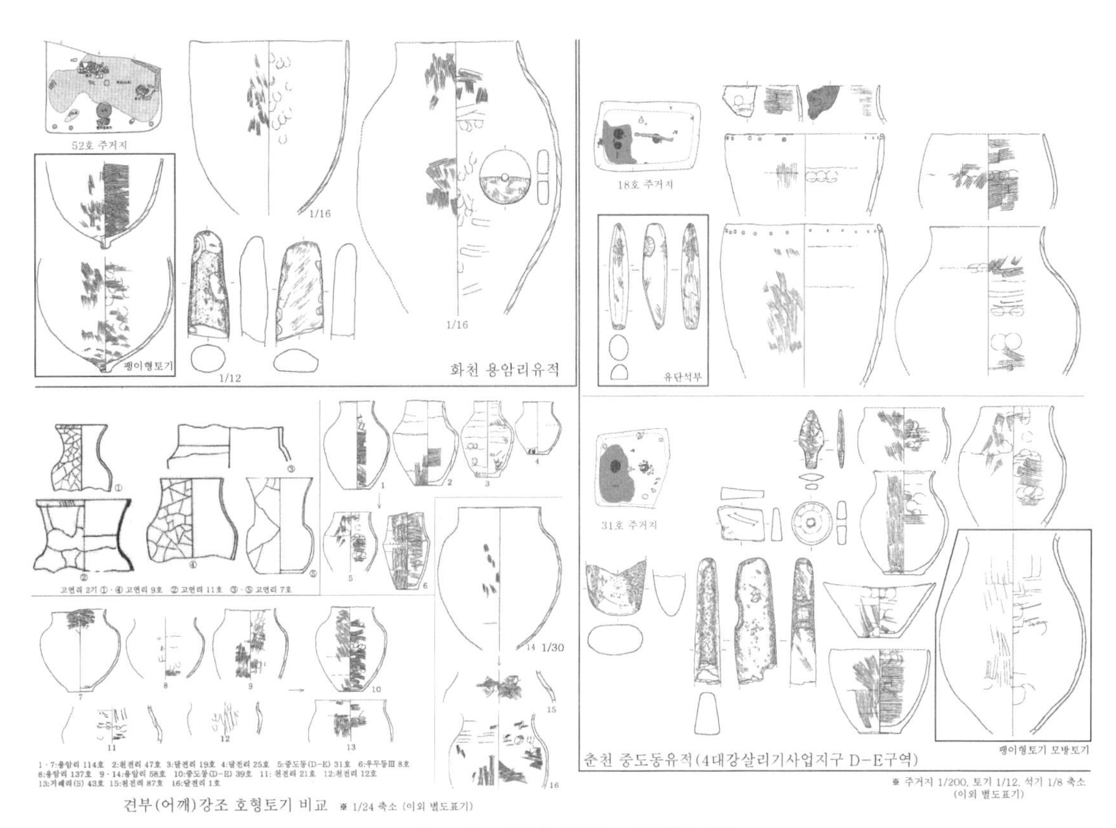

도면 2. 대동강유역 팽이형토기문화의 영향

부 길림·연길지역과 동북한지역 두만강유역에서 청동기시대 전기부터 골각기 또는 석기로 제작한 석촉이라는 점에서 동해안을 경유해 전래된 것으로 볼 수 있다. 그러나 동해안 경로를 추정할 때 빼놓을 수 없는 동한만 일대에 청동기시대 중기 이전에 해당하는 일체형석촉의 출토예가 확인되지 않았고, 이에 인접한 한반도 중부 동해안 일원에서도 중기 전반에 해당하는 일체형석촉이 출토되지 않아 동해안을 경유한 것으로 판단하기 어렵다.

일체형석촉은 대동강유역에서 남한지역 청동기시대 전기와 병행하는 팽이형토기문화 Ⅱ기부터 후기인 Ⅳ기까지 황해도지역을 중심으로 취락과 지석묘에서 주로 확인되었다. 팽이형토기$Ⅱ_1$기에 촉신형태가 주로 유엽형이었던 것이 팽이형토기$Ⅱ_2$기부터는 능형으로 점차 변화한다. 앞서 지적한 바와 같이 현재로서는 두만강유역의 일체형석촉이 동해안 경로를 통해 전래되었을 가능성 보다는 두만강유역에서 내륙루트를 거쳐 대동강유역에 파급된 일체형석촉이 북한강유역으로 전래된 것

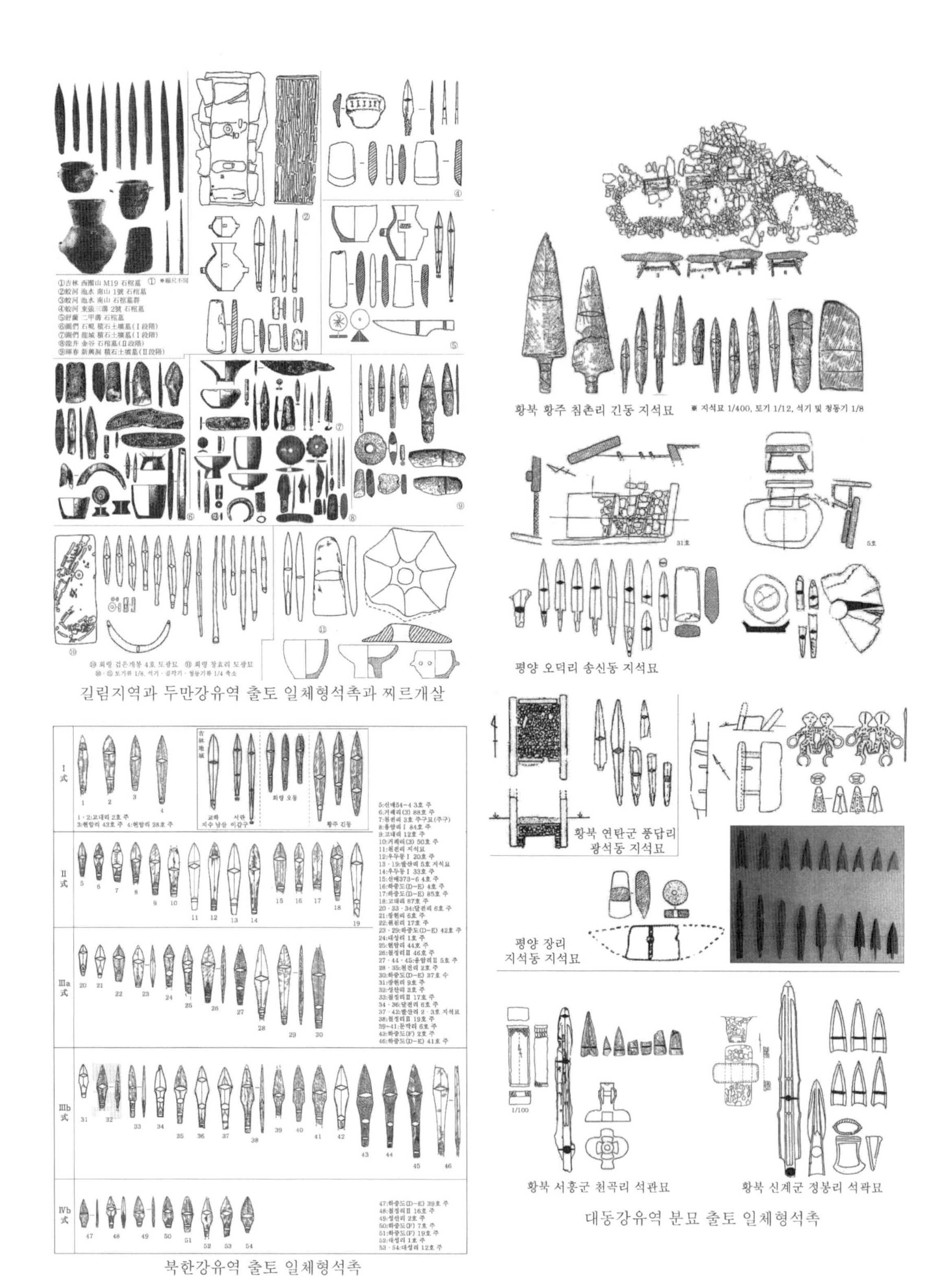

도면 3. 일체형석촉의 기원과 계보

으로 보는 것이 합리적이다.

유단석부는 중도유적 4대강 사업구간 D-E구역 18호 주거지에서 1점, 화천 거례리유적 3구간 75호 주거지와 제토면에서 2점이 출토되었다. 거례리유적 제토면 수습품은 전면에 미약하나마 단이 있다는 점에서 곡선형인 중도유적 18호 주거지 출토품에 비해 다소 이른 형식일 수 있다. 그러나 후면에 단이 있고 인부 부근의 횡단면이 반원형[25]이며 10㎝ 내외의 소형이므로 두 점 모두 유단석부 Ⅲ기 즉, 팽이형토기Ⅲ기 이후의 특징을 보인다. 중도유적 18호 주거지에서 공반 출토된 토기가 공열문과 무문토기가 공반되며 공열문이 점차 소멸하는 단계로서 중기 후반~후기로 편년된다.

이와 같은 대동강유역 물질문화의 유입은 단순전래에 그친 것이 아니라 주거지의 구조와 북한강유역 전반의 석기생산방식에 두루 영향을 미친 것으로 판단된다.

천전리식 주거지는 역삼동식 주거구조의 기반 하에 형성되었지만 황해북도 일원에 분포하는 주거구조가 적지 않은 영향을 미친 것으로 보인다. 특히 석탄리유적 주거지는 단벽가 바닥면을 높게 조성하였고 이 부근에서 석기를 생산한 흔적들이 주로 확인되었다. 천전리식 주거지도 방식은 다르지만 단벽가 부근 바닥면을 황갈색 점토로 다져 얕은 단차를 두었고, 그 내부에 치밀하게 바닥면을 다진 원형의 작업공을 설치해 석기 제작 시 물을 가두어 연마에 이용했을 가능성이 높다. 현재까지 천전리식 주거지의 계보는 용암리식 또는 고대리식 주거지를 거쳐 자체 발생한 것으로 보았지만(홍주희 2016) 물질문화(석기)의 계보와 더불어 황해도 일원지역의 영향이 있었던 것으로 보인다.

다음으로 중기 이후 취락 내에서의 석기생산방식에 관한 것이다. 춘천분지를 비롯한 북한강유역에서는 중기부터 취락 내에 주거군집 단위로 공방을 설치해 운영하였다. 공방 내부에서 석기생산과 관련된 고석, 지석 등의 도구류를 비롯해 석기 부산물과 각종 (미)완성 석기들이 출토되었다는 점에서 공방 내부에서 주거군집 구성원들이 공동으로 석기를 생산한 것으로 볼 수 있다. 그러나 개별 천전리식 주거지 내부에서도 석기 생산 또는 (재)가공을 위한 공간이 별도로 마련되었으므로 주거군집 내에서 생산공정과 공간의 구분(분화)가 뚜렷치 않은 半專業的인 석기생산체계로 해석된다(홍주희 2009).

물질문화의 확산경로는 고려시대부터 조선 초기까지 통용된 22역로(정요근 2008)를 참고할 수 있다. 이 역로망은 경주 중심의 통일신라시대 교통로와는 달리 평양과 개성지역을 중심으로 한반도 북부와 남부의 교통망을 집대성했고, 하천과 고갯길 등 자연적으로 형성된 교통로가 반영되어 선·원사시대 물질문화의 확산경로 추정에 적합하다.

22역로에 따르면 대동강유역으로부터 절령도 고려시대 22역로 중 하나로 자비령 이남의 봉산과 西京留守官 平壤府를 연결하는 역로망이다. 서북방 간선 역로의 관문 역할을 담당하였다.

를 따라 봉주에 이른 후 중부 서해안과 한탄강 상류를 거쳐 한강하류에 이르는 서해안 경로와, 대동강유역에서 서해에 인접한 내륙루트를 통해 한탄강 상류에 이른 후 중부 북부 내륙을 거쳐 북한강 상류에 이르는 내륙 경로로 구분할 수 있다. 전자는 연천 삼거리·강내리, 강화 삼거리·오상리 유적 등 한강하류와 서해안에 분포하는 대동강유역의 물질문화 확산경로이다. 따라서 한강하류로

25 Ⅱ나C형식으로 유단석부 Ⅱ기와 Ⅲ기 속성이 결합된 형태이다(배진성 2000 pp.10~19).

부터 상류로 이동하는 경로보다 후자가 거리상 짧고 편리하다.

이후 북한강유역에 이르는 경로는 「장단(長端)-삭녕(朔寧)-연천(東州)-철원(金化)-화천(浪川)-춘천(春川)」에 이르는 북쪽 경로와, 「장단(長端)-파주(積城)-사천(沙川)-포천(抱州)-가평(朝

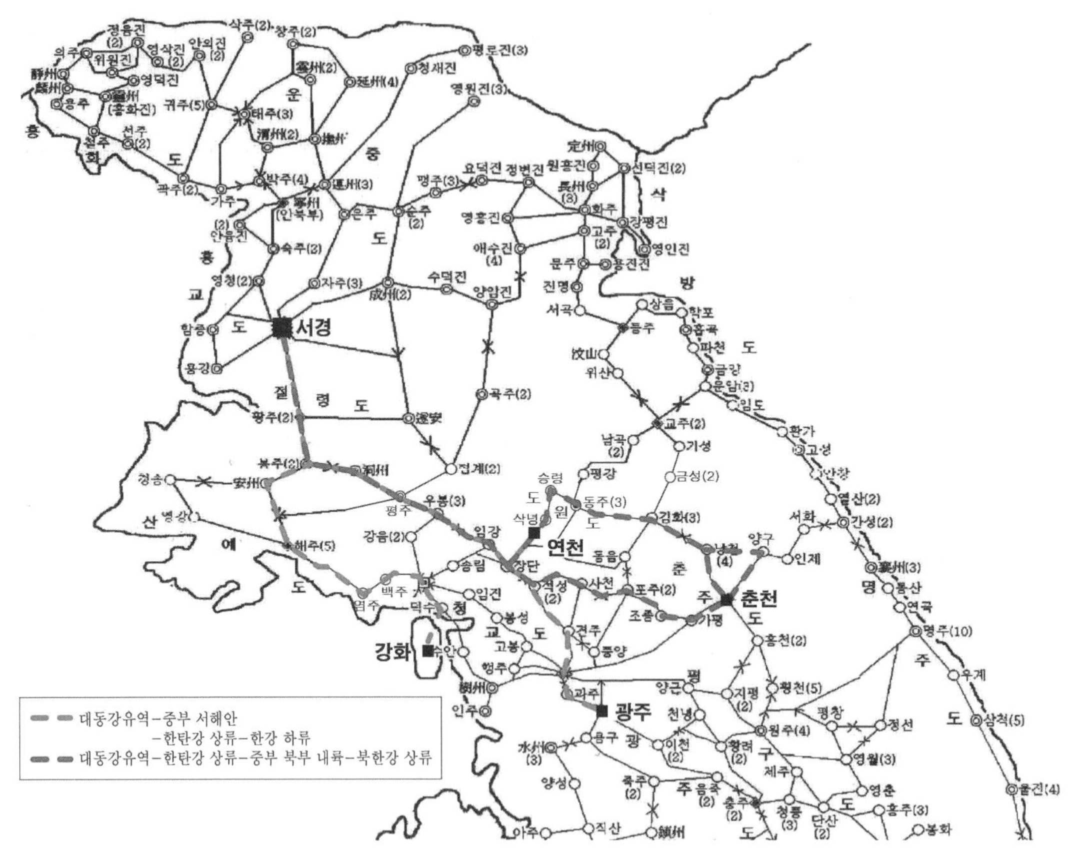

도면 4. 고려~조선 초기 22역로상의 중부지역 대동강유역 물질문화 확산경로추정
(정요근 2008 지도 I -2·3 참고)

宗·加平)-춘천(春川)-양구(楊口)」의 남쪽 경로가 있다.

두 경로는 연천, 포천, 화천, 양구 등 철기(원삼국)시대 물질문화 분포지점을 연결하는 경로와도 일치한다. 그러나 대동강유역의 물질문화가 화천, 양구, 춘천지역에 집중되어 있다는 점에서 가평이 포함된 남쪽 경로보다는 북쪽 경로가 유력하다. 특히 천전리 문화유형에서 확인된 물질문화는 대동강유역 물질문화 중심지인 평양 보다는 황해도 일원과 흡사해 대동강유역 물질문화 전래경로 상에 위치한 지역집단과의 교류나 교역의 결과로 판단된다.

Ⅳ. 맺는말

이상에서 살펴보았듯이 대동강유역의 물질문화는 청동기시대 중기 이후 춘천분지와 인접지역으로 확산되었다. 특히 춘천분지 내에서도 천전리·중도취락 등 취락의 구성요소를 두루 갖춘 상위 취락에서 빈번히 확인되고 있다는 점이 주목된다. 이러한 물질문화의 전래와 확산은 근·원거리 교류(역)의 결과이며, 이 과정에서 중도취락을 비롯한 상위 중심취락들이 주도했을 것으로 판단된다. 북한자료의 한계가 있지만 천전리식 주거지의 계보가 명확히 밝혀진다면 다방면의 인적, 물적 교류의 상정도 가능하리라 생각한다.

한편, 춘천분지 내에서 수습, 보고된 12점의 청동기 중 9점이 중도유적(3점)과 우두동유적(4점), 현암리유적(2점) 등의 상위 취락 또는 인접취락에서 출토되었다. 타지역에 비해 상대적으로 많은 청동기가 출토된 것은 이 지역이 물질문화 전래과정에서 중요한 경로상에 위치하고 있고, 상호교류가 가능할 정도의 위상을 갖추었기 때문으로 볼 수 있겠다.

결국, 중도유적은 인접지역에 분포하는 상위취락들과 함께 한반도 북부와의 교류(역)을 통해 전래된 물질문화를 적극적으로 수용해 모방품을 제작하는 등 상위의 중심취락의 역할을 담당했던 것으로 판단된다. 향후 조사 보고서가 발간된다면 중도취락을 통해 북한강유역 청동기시대 문화의 정체성을 비롯해 주변취락과의 관계를 연구하는데 중요한 단서를 제공할 것으로 기대한다.

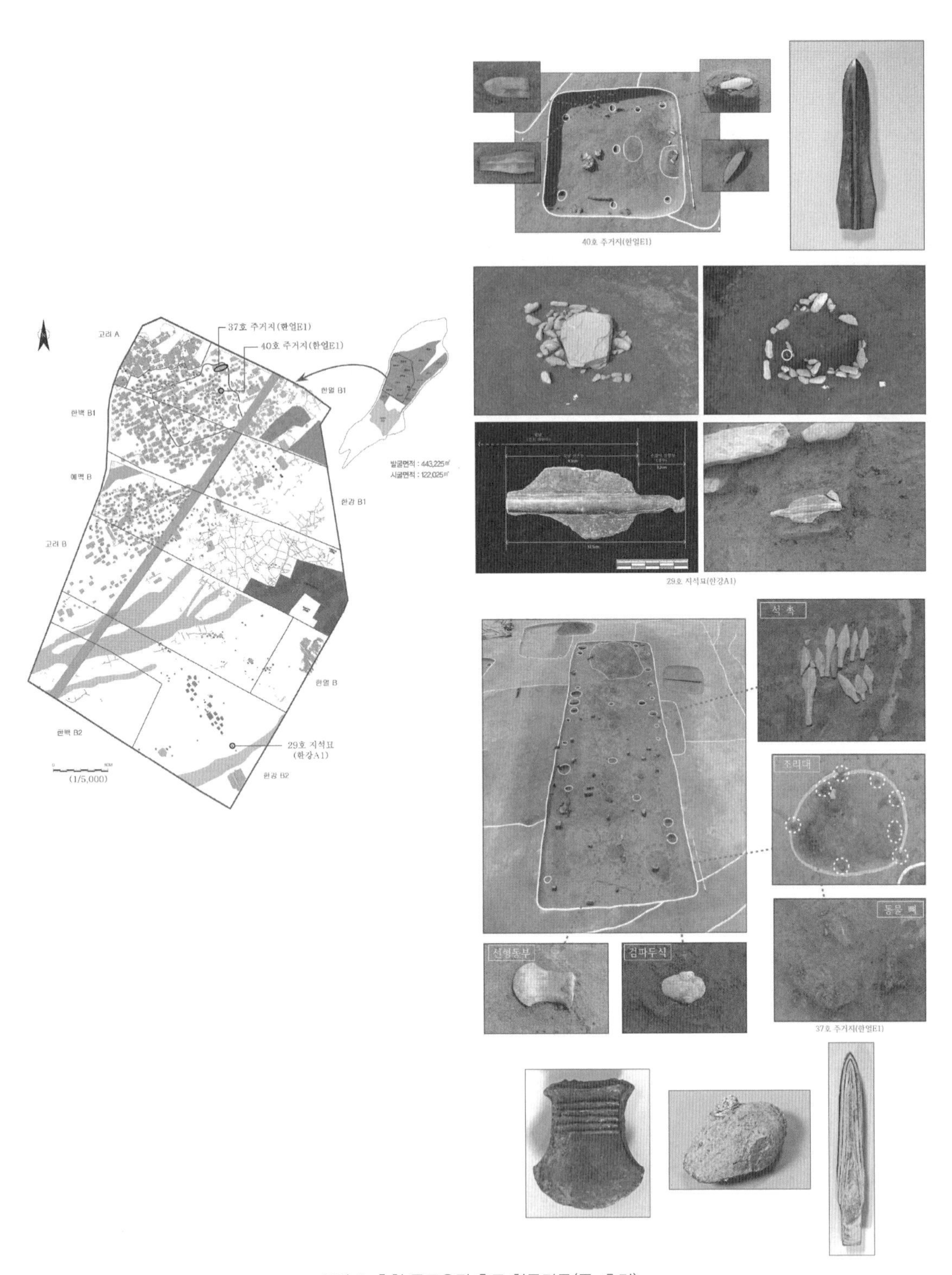

도면 5. 춘천 중도유적 출토 청동기류(중~후기)

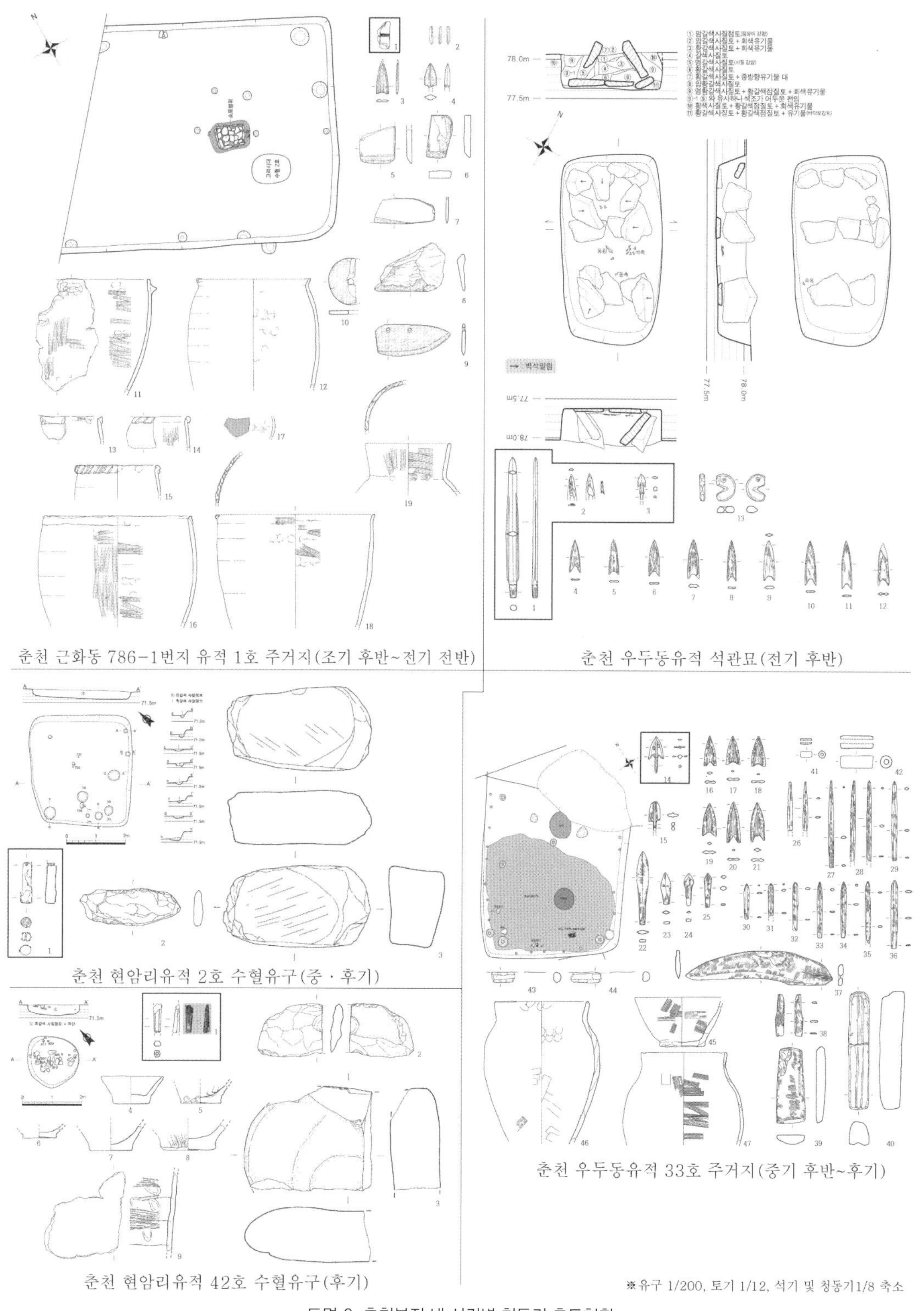

도면 6. 춘천분지 내 시기별 청동기 출토현황

【참고문헌】

김권중, 2005,「영서지역 청동기시대 주거지의 편년 및 성격」,『강원지역의 청동기문화』, 강원고고학회 2005년 추계학술대회 발표요지.

김권중, 2009,「춘천지역의 청동기시대 중심취락과 취락간 관계」,『청동기시대 중심취락과 취락 네트워크』(한국청동기학회 취락분과 제2회 워크숍 발표요지), 한국청동기학회.

배진성, 2000,「한반도 주상편인석부의 연구」, 부산대학교 석사학위논문.

, 2009,「압록강~청천강유적 무문토기 편년과 남한 : 조기~전기를 중심으로」,『한국상고사학회』64.

이형원, 2009,『청동기시대 취락구조와 사회조직』, 서경문화사.

, 2011,「중부지역 점토대토기문화의 시간성과 공간성」,『호서고고학』24.

, 2012,「중부지역 신석기~청동기시대 취락의 공간구조와 그 의미」, 『고고학』, 서경문화사.

, 2014,「취락과 사회구조」,『청동기시대의 고고학3 취락』, 서경문화사.

, 2015a,「주거문화로 본 점토대토기문화의 유입과 문화변동 -강원 영동 및 영서지역을 중심으로-」,『한국청동기학보』16.

, 2015b,「점토대토기문화 유입기 모방토기의 사회적 의미」,『숭실사학』34.

정요근, 2008,「고려·조선초의 역로망과 역제연구」, 서울대학교 박사학위논문.

정원철, 2007,「강원 영서지역 청동기시대의 편년 연구」,『한국상고사학보』56.

, 2012,「중부지역 돌대문토기의 편년연구」,『한국청동기학보』11.

홍주희, 2009,「북한강유역 청동기시대 취락의 전개와 석기제작시스템의 확립」,『한국청동기학보』5.

, 2016,「천전리식 주거의 출현과정에 관한 새로운 견해」,『한국청동기학보』19.

, 2017,「북한강유역 청동기시대 공방에서의 석기 생산방식 검토」,『한국청동기학보』20.

庄田愼矢, 2007,「한국 청동기시대의 생산활동과 사회」, 충남대학교 박사학위논문.

춘천 중도유적과 중국 홍산문화유적 그리고 진주 남강유적과의 관계

이형구(동양고고학연구소장 · 선문대학교 석좌교수)

1. 머리글

2013년 10월부터 2017년 10월까지 춘천시 의암 댐내 중도(中島) 전역에서 서양의 '플라스틱 놀이공원'인 레고랜드 코리아(LEGOLAND KOREA)를 개발하기 위하여 '긴급구제발굴' 한 결과, 신석기시대 유적으로부터 청동기시대 유적, 철기시대 유적 그리고 삼국시대 유적에 이르기까지 우리나라 고대사를 관통(貫通)하는 매우 중요한 유적이 확인되었다.

필자는 2014년 7월 29일 춘천 중도 발굴 현장을 참관하고 나서 바로「춘천 중도유 적, 레고랜드와 바꿀 수 없다」라는 기고문을 발표하고[26], 2014년 10월 27일에 춘천시민강좌에서「춘천 역사 문화 유적의 보존과 개발」이란 제목으로 발표하고 중도유적을 청동기시대의 대표적인 '도시형' 집단취락이라고 발표하였다.[27]

춘천 중도유적은 1980년부터 1984년까지 국립중앙박물관에 의해 5차례나 발굴 조사되어 1980년대에 270여 기의 유구가 확인된 곳으로, 발굴보고서도 이미 5권이나 나왔다.[28]

춘천지역의 신석기시대 문화는 서해안에서 한강의 강줄기를 따라 올라 간 빗살무 늬토기 문화가 분포되고 있다. 혹자는 동해안에서 태백산맥을 넘어 온 문화와 한강을 따라 올라 온 문화가 혼합되는 지역이었을 것으로 보기도 한다. 춘천지역의 고대 문화는 신석기시대부터 한강 강줄기를 따라 문화가 춘천지역에 전파되고 문화의 유입이 활발하였다.[29]

청동기시대에는 북한강 하안(河岸)의 충적지대(沖積地帶)에서 농사를 짓고 살면서 다양한 토기와 석기를 사용하였다. 춘천지역에는 신매동, 금산동, 현암동, 우두 동, 율문동, 천전동, 심천동, 칠전동, 거두동 등 여러 유적들이 있다. 이들 지역에는 고인돌무덤(支石墓)이 함께 분포되고 있다.

2010년 4대강 살리기사업의 일환으로 춘천 중도유적 발굴에서 200여기의 유구가 조사되기도 하였으며, 2013년 레고랜드 개발 사업이 시작되면서 레고랜드 사업부지내 1단계 발굴에서 1,400 여기의 유구가 조사되었다. 2015년 2단계 발굴에서도 345 기의 유구가 조사되었다. 2016년과 2017년에도 계속 발굴되었지만 7개 발굴단은 아직 발굴보고서를 발간하지 않고 있어 전체 규모나 자세한 문화내용을 파악하기가 어렵다.

춘천 중도의 해발 72~74m의 하안충적층에서 지금까지 3,000기에 가까운 많은 유구(遺構)가 발굴되었다. 대부분 청동기시대 유적으로 우리나라에서 단일 구역 내에서 발굴된 최대의 유적이다. 중도유적에서 발굴된 청동기시대 주거지는 모두 1,200 여 동(棟)이 될 것으로 추정된다. 특히 170 여 기의 고인돌무덤(支石墓)은 세계적인 유적이다.

한편, 경남 진주 진양호 수몰지구 해발 40m 정도 되는 남강(南江)유적에서 원형 적석유구(고인돌무덤)와 석곽묘, 석관묘를 발굴하였는데,[30] 이들 남강유적의 돌무덤(石墓)의 형태나 구조가 중도유적의 적석식 지석묘(고인돌무덤)와 석곽묘, 석관묘 등 돌무덤의 형태나 구조와 매우 유사하다.

춘천 중도유적과 발해연안(渤海沿岸) 북부 대릉하 유역의 홍산문화(紅山文化)의 적석총(돌무지무덤)과 요동반도의 지석묘 그리고 진주 남강유적의 지석묘와 일본 구주지방의 지석묘를 비교해 보면, 발해연안의 고대문화의 특징을 보이고 있다.

발해연안 북부 대릉하 유역은 고대 한국문화는 물론 고조선 시대의 역사 전개와도 매우 밀접한 관계가 있는 지역이기도 하다. 대릉하 상류 우하량의 6개 지점에서 적석총(돌무지무덤)이 무더기로 발견되었는데, 그 중 한 지점에서 발굴된 적석총(돌무지무덤) 안에서는 15기의 석관묘[돌널무덤]가 발굴되었다.[31]

2. 춘천 중도유적의 고고학적 성과

중도유적에서 모두 3,000기에 가까운 많은 유구가 발굴되었다. 대부분 청동기시대의 유적으로, 우리나라에서 단일 구역 내에서 발굴된 최대의 유적이라 할 수 있다. 세계적으로도 그 유례를 찾아보기 어려운 유적이다.

중도유적에서 1,000여 기의 주거지가 발굴되었는데 발굴자에 의하면 이들 주거지 가운데 2/3 가량이 청동기시대 중후기의 주거지로 분류하고 있다. 청동기시대 중후기의 일정기간에 1세대 당 5, 6명이 살았다고 가정해 보면, 중도에서 청동기시대 중・후기에 4,000~5,000명의 인류가 거주한 것으로 추정되는데 그렇다면 이는 대단위 취락(聚落)이다.

1) 환호(環濠)

중도유적의 중앙에서 약간 북쪽에 분포되고 있는 주거지 밀집지역의 주거지의 앉은 위치가 전면을 모두 동남향으로 배치돼 있고 또한, 그 질서정연한 배치가 마치 기획도시 같은 느낌을 준다. 그리고 주거지 밀집지역의 중심구역에서 둘레가 404m(내부면적 1만㎡)나 되는 방형 환호(環濠)가 발굴되었다.

중도유적에서 발굴된 유물 가운데 대표적인 생활 유물인 토기와 대표적인 사후(死後) 유적인 돌무덤(石墓)을 중심으로 중도유적의 성격과 가치를 알아보고자 한다.

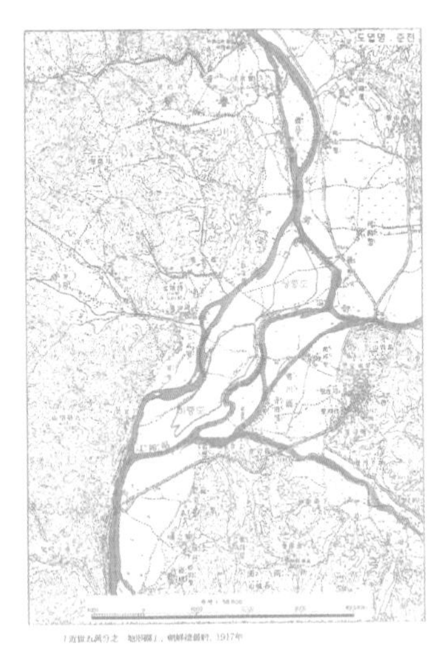
1917년에 제작된 중도유적 부근 수계
[필자 가묵]

중도유적은 의암댐이 건설되기 이전(以前)에도 북한강과 소양강이 자연해자(自然垓子)처럼 형성되었고, 양 하류가 합류하면서 마치 섬(島)처럼 독립된 지형을 갖추고 있었다.[지도 참조] 해발 72~73m내외의 충적대지 위의 중심 지역에 방형 환호를 설치하여 고대 사회의 행정 혹은 종교적인 구획공간을 두고, 환호 내외에 대형 고상식 건물지와 대형 주거지와 작업장이 있는 중·소형 주거지 및 저장용 수혈을 갖춘 생활형 도시처럼 구획되어 있다. 이 남쪽에 경작유구 구역과 분묘 구역을 갖추고 있다. 분묘 구역은 고인돌무덤(지석묘)군이 열(列)을 지어 대·중·소로 배치되었다.

환호는 마치 성곽의 해자(垓子)처럼 긴 도랑을 파서 경계를 이루고 있지만 한편으 로는 짐승이나 적의 침입을 막기 위한 방어용(防禦用) 시설이다. 주거지 밀집지역의 중심구역에 둘레가 404m(내부 면적 1만㎡)나 되는 네모난 형태의 방형 환호가 발견되었다.

방형 환호를 두른 중심구역 안에서 발굴된 방형 주거지(E구역 40호)에서는 우리나라 청동기시대의 대표적인 유물인 이른바 '비파형청동단검(琵琶形靑銅短劍)'이 석제 검파두식(劍把頭飾)과 함께 출토되었고, 대형 장방형 주거지(E구역 37호)에서는 청동도끼(銅斧)와 청동제 검파두식이 출토되었다. 그리고 초대형 장방형 주거지(E구역 469호)에서는 옥부(玉斧)와 옥착(玉鑿) 등 의례기(儀禮器)가 출토되었다고 하는 사실은 더욱 지배자의 신분을 잘 나타내고 있다.

특히 대형 장방형 주거지(E구역 37호)에서 청동도끼와 청동단검 자루끝 장식과 함께 10점의 마제 석촉이 한 무더기로 발견되고 있는데, 이들 완성품이 한 건물에서 한조합을 이루고 출토되고 있는 점을 주의해 볼 필요가 있다.

환호는 중심 취락을 에워쌓아 방어용으로 조성되었으며, 그 안에는 지도자급의 주거지를 비롯해서 창고, 제작소(무기 및 공구), 대형건물, 공공장소, 제의장소, 특별시 설물 등 일정 공간의 범위 구획이 다른 공간과 구획 또는 경계하는 시설을 갖추고 있는, 중도유적의 환호는 정치 경제의 핵심지대인 성읍을 형성하고 있다.

그래서 중도유적의 환호는 마치 근세의 작은 읍성의 크기만 하다. 고대의 성읍(城 邑)을 보는 것과 같은 인상을 준다.

중도의 중앙에서 약간 동북쪽에 위치한 중심구역의 주거지 밀집지역은 가옥이 대부분 동남향으로 향하도록 배치돼 있어 그 질서 정연하게 계획된 포국(布局)이 마치 기획도시(企劃都市) 같은 느낌이다[32].

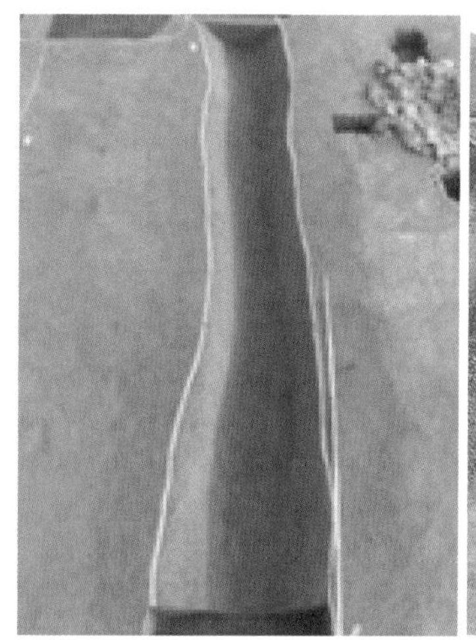

춘천 중도 B구역 환호 3구간 전경
(청동기시대)

진주 옥방1지구 이중환호 전경
(청동기시대)

이는 긴 도랑을 파서 경계를 이루고 있어서 마치 성곽의 해자(垓子)와 같은 역할을 하였을 것으로 짐승이나 적의 침입을 막기 위한 시설로 보인다. 마치 역사시대의 읍성(邑城)과 같은 인상을 준다. 이 지역사회의 행정중심과 같은 특별구역으로 볼 수있을 것

32 이형구; 『박근혜 대통령에게 드리는 춘천 중도유적 보존을 위한 백서(白書)』, 동양고고학연구소, 2015, p.187.
이형구; 『춘천 중도 유적 보존을 위한 백서』 ebook, 새녘출판사, 2015.

이다.[33]

한편, 경남 진주 남강수몰지구(진양호) 해발 40m정도되는 옥방(玉房)유적에서도 청동기시대의 환호가 발굴되었다. 옥방1지구와 4지구,7지구에서 이중환호가 확인되었다.

2) 주거지(住居址)

중도 섬 전체의 1,274,000㎡ 면적 중에서 이번에 발굴된 유적의 면적은 203,000㎡이다. 이 면적은 전체의 1/6에 해당하는 면적이다. 불과 1/6의 면적에서 917기의 주거지와 9기의 고상가옥, 355기의 저장용 수혈(일종의 지하창고)이 발굴되었다. 모두 1,400여기의 유구가 발굴되었다고 하는 사실은 놀라운 일이다. 140㎡에 1기의 유구가 분포돼 있었다고 하는 사실을 말해 준다. 고고학 발굴을 통해서 살펴 본 중도의 고대 주민의 사회생활은 주거지 초대형, 대형, 중형, 소형의 주거지로 형성돼 있다.

발굴자의 말에 의하면, 주거지의 형태와 출토유물을 Ⅰ~ Ⅳ유형으로 누고 전기에 해당하는 Ⅰ 유형은 비교적 소수인 초대형의 장방형 주거지가 이에 속하고 4.2%를 점하 고, 중기로 구분되는 Ⅱ 유형의 점유율은 30.5%이고 후기로 분류되는 Ⅲ유형과 Ⅳ유형은 65.3%나 된다.

후기의 인구가 650가구의 인구밀도를 가정할 때, 한 가옥에 3대가 1가구당 8~10명이 살았다고 보면, 중도에 대략 5,200~6,500명의 주민이 거주한 셈이다. 그러나 이번 발굴한 면적은 중도 전체의 1/6정도에 불과하다. 1,274,00㎡(386.000평)나 되는 중도 전체의 면적을 상상해 볼때 이보다 더 많은 인구를 가정할 수 있을 것이다. 청동기시대에 중도에 적어도 5,000명이상의 주민이 거주했던 청동기시대의 대도시이다[34].

어떤 학자는 삼한시대에 인구는 2,500~3,500명이면 한 나라의 구성원과 같다고 하였다. 중도 유적은 삼한시대보다 천년 가량 앞선 시기이다. 삼한시대보다 앞선 시기에 이렇게 인구밀도가 많다는 것은 무엇을 말하는 것인가? 그리고 이렇게 큰 대형 도시가 건설되었다면 그 실체는 무엇인가? 우리는 이를 군장사회를 넘어 '초기 국가 (國家) 단계의 사회'에 도달하지 않았을까 추측해 본다. 그것은 바로 고조선시기의 정치집단의 실체일 수도 있을 것이라고 조심스럽게 추정해 본다.

청동기시대의 고인돌무덤(支石墓)이 북한강이나 소양강 연안에 밀집하여 분포하고 있을 뿐만 아니라 강변에 고인돌무덤(지석묘) 군이 분포하고 있음을 확인할 수 있다고 하는 사실은 이 시기의 인류들이 강안 지역에서 생활하면서 주거지에 가까운 지역에 그들의 분묘를 조성하였을 것이다.

선문대학교 역사학과 학술조사단(단장; 이형구 교수)이 경남 진주시 대평면 대평리 남강댐 수몰지구 내의 옥방(玉房)5지구에서 1996년부터 1999년까지 4년 동안 발굴을 하였는데, 이 발굴에서 청동기시대 주거지와 옥기공방, 원형 적석유구, 석관묘 등이 발굴되었다.[35] 그리고 인접지역에서는 환호와 경작유구가 확인되었다.[36]

특히 남강유역의 옥방5지구 C-3호건물지를 비롯해서 상촌리와 어은1지구의 장방형 주거지 내

---

33 동아대 박물관,『남강유역문화유적발굴도록』, 경상남도, 1999.
34 이형구;「춘천 중도의 고대 공동체사회」,『한국고대사탐구』 21, 2015, pp.406~408.
35 이형구;『진주 대평리 옥방5지구 선사유적』, 선문대학교 박물관, 2000.
36 동아대 박물관,『남강유역문화유적발굴도록』, 경상남도, 1999. p.72.

의 좌우 양 열에서 각각 5개 주초석이 확인되었다. 이런 주초석은 지상건물지의 건축 재료로 추정된다. 이와 같은 주초석이 중도유적에서도 발견되고 있다. 중도유적 D3구역의 120호. 203호. 271호 장방형 주거지에서 5개 주초석이 양 열에서 확인되었다.[37] 여러 유형에서 춘천 중도유적과 일맥상통하는 부분이 많다.

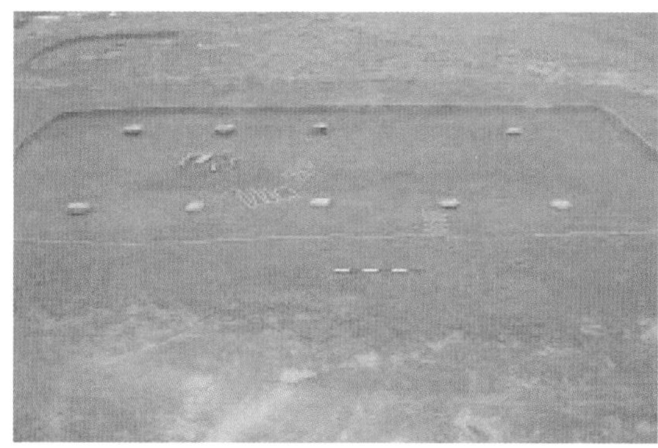
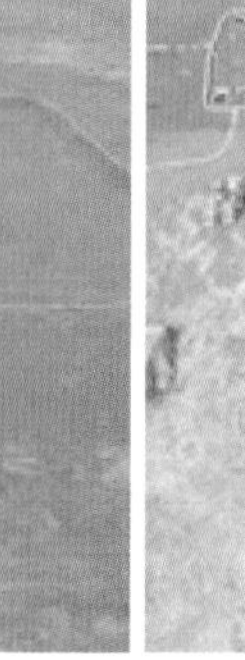

진주옥방5지구 C-3호건물지-주초석(110㎡)

춘천중도D3-203호주거지-주초석(237㎡)

3) 토기(土器)

중도유적의 발굴 조사자는 "돋을 띠 새김무늬인 각목돌대문(突帶刻目紋)토기가 출토된 주거지는 기원전 11세기 이전 청동기시대의 가장 이른 단계에 속한다"고 하였다. 그리고 "C구역 20호 주거지에서 출토된 둥근 바닥 바리모양의 원저 심발 형(圓底深鉢形)토기는 신석기시대에서 청동기시대로 넘어오는 전환기를 보여 주는 중요한 유물이다"고 하였다[38]. 이와 같은 유형은 신석기시대로부터 청동기 시대로 넘어가는 과도시기의 유형이다.

춘천 중도유적 출토 원저 심발형토기(우측 중앙)와 청동기시대 조기(早期) 토기 각종

---

37 고려문화재연구원, 「춘천 중도D구역 발굴조사 약보고서」, 2017, p.39.
38 문화재청; 「춘천 중도유적 보도 자료」, 2014. 7. 28.

춘천지역의 선사시대의 유적 유물은 종류도 다양할 뿐만 아니라 그 특성도 서북계통, 동북계통, 서해안계통의 특징들이 혼합된 양상임을 알 수 있다. 빗살무늬 토기를 만든 사람들은 강 연안이나 해안에 살았다. 청동기인들은 해수면(海水面)이 높아지면서 해안선이 내륙으로 깊어지니까 생활지대가 높은 산기슭으로 옮겨와 살게 된다[39].

해수면(海水面)의 상승으로 신석기시대에서 청동기시대로 넘어가는 시기에는 인류들이 점점 산으로 올라가서 살게 되면서 태토가 거칠고 나빠져 토기 제작에 사용된 흙이 부드럽지 않고 거칠고 모래가 많이 섞여 빗살무늬를 새기기가 힘드니까 구멍 (孔列)을 뚫던가 아니면 짧은 선(短斜線)으로 장식하게 된 것이다. 구멍이나 단사선도 무늬라고 할 수 있다. 이 시기를 과도시기(過渡時期)라고 부를 수 있다. 과도시기가 지나면 무늬가 하나도 없는 토기가 많아진다. 그래서 이 시기를 '무문토기시대(無 文土器時代)'라고 부르고, 이 시기가 바로 청동기시대이다[40].

춘천 천전리 적석식 고인돌무덤(지석묘)에서 출토된 토기의 구연부(아가리부분) 에 빗살무늬가 시문(施紋)된 토기 편이 수습된 것으로 미루어보아 천전리의 토기는 신석기시대에서 청동기시대로 이행(移行)하는 과정을 밝힐 수 있는 좋은 자료이다[41].

한강 하류의 청동기시대 유적들은 주로 구릉 지역에 분포하고 있다. 그리고 춘천 지역에 많이 분포되고 있다. 한강 하류 연안과 평지 충적지대에는 물이 차오르게 되자 주민들은 인근 산 구릉(丘陵)으로 옮겨 가든가 아니면 강 상류로 옮겨가게 된다. 높은 지대에 거주하다보니 진흙을 구할 수 없고 산비탈에 있는 흙에는 모래가 많이 섞이면서 이때부터 태토(胎土)가 갈색조의 거친 흙을 쓰게 된다. 태도가 거칠고 모래가 많이 들어있으면 시문(施紋) 도구인 빗치개가 들어가지 않는다. 그래서 토기의 구연부(아가리 부분)에 덧띠를 붙이는 돌대(突帶)나 간단한 무늬를 둘렀는데, 아가리 부분에 구멍을 뚫은 공열문(孔列紋)이라든가 아가리 표면에 손톱이나 나무칼로 꼭꼭 찍어나가는 각목문(刻目紋) 그리고 꼬챙이로 짧게 빗금을 그은 짧은 빗금무늬라고 하는 단사선문(短斜線紋)을 볼 수 있다. 토기에 구멍이 뚫린 것을 '공열문(孔列紋)'이 라고 하여 구멍도 '문(紋)' 즉, 무늬로 보았기 때문이다. 흔히 공열문토기나 각목문토기 그리고 단사선문토기를 모두 '무문토기(無紋土器)'라고 인식하고 있으나 이것들은 무늬가 없는 무문(無紋)이 아니며 분명 무늬가 있는 유문(有紋)토기인 것이다[42].

1996년부터 1999년까지 선문대학교 역사학과 학술조사단(단장 이형구 교수)이 진주 옥방(玉房)5지구 발굴한 유적에서 토기, 석기, 옥기, 패각, 청동기 등 많은 유물이 출토되었다. 그 중 토기는 돌대각목문토기·구순각목문(口脣刻目紋)토기·공열문토 기·단사선문토기·거치문(鋸齒紋)토기·이중구연(二重口緣)토기 등이 있다[43]. 이들 토기는 청동기시대 조기(早期)로 분류되고 있다.

발해연안(渤海沿岸)에서는 지금으로부터 8000년 전 경에 빗살무늬토기가 제작되 었다. 발해연안에서 이른 시기의 빗살무늬토기가 출토되는 유적으로는 발해연안 서부의 황하 하류의 자산(磁山)·배리강(裴李崗)문화, 북부의 대릉하(大凌河) 상류의 사해(查海)·흥륭와(興隆窪)문화 그리고 요하 하류의 신락(新樂)문화, 요동반도 광록도 소주산(小珠山)하층문화, 압록강 하류 단동 후와(後窪)

선문대학교 역사학과 학술조사단이 1996~99년 옥방5지구에서 발굴하여 선문대학교 박물관 '진주옥방유적전시실'에 전시돼 오던 청동기시대 조기(早期) 토기 각종.

문화가 있다[44]. 한반도에는 압록강 하류 의주 미송리 유적, 대동강 유역의 궁산·남경 유적, 재령강 유역의 지탑리 유적, 한강 유역의 암사동·미사리 유적, 한반도 동북부의 서포항 유적, 그리고 동해안의 양양 오산리·고성 문암리 유적, 남해안의 부산 동삼동 유적 등이 있다. 이들 토기의 편년은 대체로 기원전 6000~4000년경이다[45].

발해연안의 빗살무늬토기의 발생은 대략 기원전 6000년 내지 5000년경으로, 이시기는 기원전 5000년 내지 4000년경에 출현하는 시베리아(Siberia)의 빗살무늬토기 보다 무려 1000년 이상이나 앞선다. 뿐만 아니라 시베리아의 빗살무늬토기는 무늬를 새기는 방법이나 그릇 모양이 발해연안의 빗살무늬토기와는 계통이 서로 다르다.

혹자는 청동기시대 문화의 주요 특성인 무문토기도 그것을 만들어 사용하던 사람 들이 시베리아로부터 한반도에 이주해 와 신석기시대 사람들을 몰아내고 한반도에서 살아 왔다고 하였다[46]. 그러나 청동기시대에 발해연안과 한반도에 살던 인류들은 신석기시대부터 기후와 자연환경에 적응하면서 토기와 석기 등 생활도구를 만들어 사용하였던 사람들이다.

4) 청동기

E구역 ⅡB유형 40호방형주거지(E-40)의 에서 비파형동검의 검신 전단부가 두 토막으로 출토되었다. 불에 탄 주거지의 바닥면에서 출토되었는데, 검신의 전단부가 두 조각으로 부러져서 발견되었다. 봉부에서 결입부 중단까지 남아 있다. 잔편 길이는 14.5㎝이고. 돌기부는 폭 3.6㎝이다.

---

44 이형구;『발해연안문명』, 상생출판사, 2015. pp.78~124.
45 이형구;『한국고대문화의 비밀』, 김영사. 2004, 새녘출판사. 2014.P.94.
46 김원룡;『한국고고학개설』, 일지사, 1973, pp.62~63. 1986, WP3판, p.63.
김정배;『한국민족문화의 기원』, 고려대학교 출판부, 1973, p.210.

E구역 ⅢA유형 37호장방형주거지에서는 선형동부(扇形銅斧) 1점이 출토되었다.[삽도 7, 좌] 불에 탄 주거지의 바닥면에서 鎣部내에 소량의 炭化木이 남아있는 상태로 출토되었다. 동부의 기신부 길이 4.6㎝, 너비 4.1㎝, 날 부위 길이 2.4㎝, 너비 6.4㎝ 정도이다. 그리고 부근에서 금속제 검파두식(劍把頭飾0이 출토되었다. 비파형동검(ⅡB유형 40호주거지)과 선형동부(ⅢA유형주거지 출토)가 각각 다른 유형의 주거지에서 출토되는 것이 특징이다.

E구역에서 출토된 선형동부의 형태는 속초 조양동유적에서 출토된 선형동부와 비슷하나 몸체부의 릉선문은 북한 토성리유적에서 출토된 선형동부와 유사하다.

한편, 2014년 12월 5일 A구역 B1지역 지석묘(고인돌무덤) 군을 해체 철거하다가 고인돌무덤에서 비파형동검의 경부 쪽의 검신부가 반파된 채 수습되었다.39) 병부에서 劍葉部중단까지 남아 있다. 잔편 길이는 12.5㎝이고. 검엽의 최대 폭이 4.9㎝, 柄部의 슴배 길이 3.2㎝이다. 그리고 슴배의 2단 홈은 0.9㎝, 1.0㎝이다.

비파형동검은 2014년 12월 A구역의 고인돌무덤 군을 해체 철거할 때 수습되었다. 현재 한강문화재연구원에서 보관 중이다.

이번에 중도유적에서 출토된 비파형동검이 1938년에 춘천 부근에서 출토된 비파형동검의 검엽부와 유사하다.[47] 심지어 중도유적에서 발견된 비파형동검의 봉부가 별첨 도면 왼쪽에서 두 번째 병부쪽으로 반만이 남아있는 동검의 鋒部가 아닌지 의심스러울 정도이다. 이번에 출토된 비파형동검과 검토해 볼 만 하다. 국립박물관의 그 행방이 묘연하다.

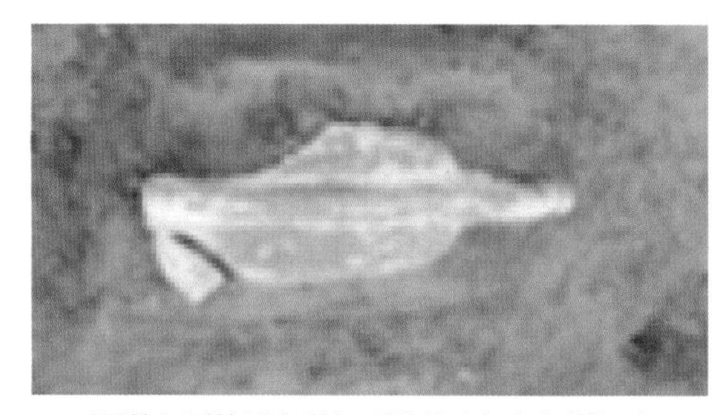
A구역 B1지역 29호지석묘 해체 중 수습된 비파형동검

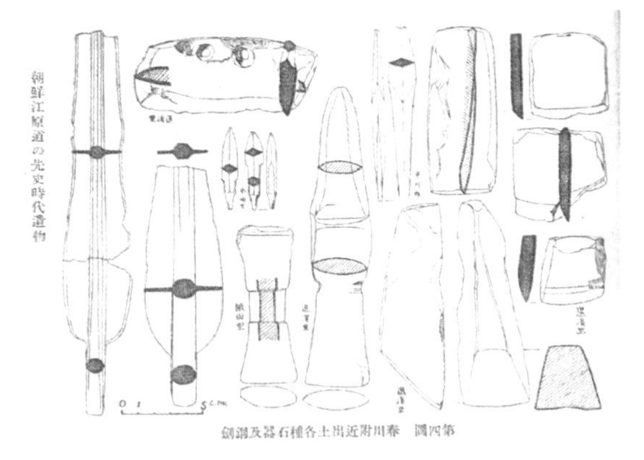

춘천 부근에서 출토된 비파형동검(좌, 『考古學雜誌』28-11,1938)

최근, 춘천시 우두동 석관묘에서 비파형동검의 등대 부분만 남아 있는 이색적인 동기 1점이 검파두식, 양익형(兩翼形) 2단경(二段莖) 동촉 등 수점의 동기와 함께 출토되었다.[48] 발굴자는 비파형동검을 재가공해서 사용했을 것이라고 한다. 등대의 검엽부가 없는 것으로 보아 비파형동검의 등대로추정된다. 검엽은 검엽대로 등대는 등대대로 사용했을 것이다. 우두동 석관묘가 청동기시대 전기에서 중기로 이행하는 과도시기에 해당한다고 하였다. 중기를 B.C.9~8C.로 설정하고 있다.

강원도 홍천 방량리에서도 비파형동검의 봉부가 수습되었다는 사실은 매우 큰 의미가 있다.[49] 홍천 지역은 구석기시대로부터 신석

---

48 강원문화재연구소,「춘천 우두동유적 I -직업훈련원 진입도로 확포장공사구간 유적 발굴조사보고서」, 2011, pp.428~430
49 국립중앙박물관,『한국의 청동기문화』, 범우사, 1992, PL.29-3, p.148. 국립춘천박물관, 『강원 고고학의 발자취』, 2004, 23쪽.

기시대, 청동기시대, 철기시대, 삼국시대로 이어지면서 춘천 지역과 동일문화권을 형성하고 있다.

일반적으로 비파형동검을 언급하게 되면 학계에서는 바로 고조선의 문화로 추정하고 있다.46) 지금까지 비파형동검은 적석총이나 석곽묘, 석관묘, 지석묘 등 돌무덤에서 출토되었는데, 중도유적에서는 주거지(방형)에서 출토되었다고 하는 점이 특징이다.

병부의 슴베부분에 검병을 용이하게 결박시키기 위해 S자형으로 홈을 팠다. 이와 같은 사례는 전 상주 출토 예와 여천 오림동, 적량동 지석묘에서 출토된 비파형동검에서 찾아볼 수 있다. 검엽부는 1938년에 춘천에서 채집된 청동단검과 매우 유사하다. 보도된 자료에 의한 검토이기는 하지만 필자가 보기에는 중도 지석묘에서 수습된 비파형동검은 청동기시대 중기의 특징을 가지고 있다.

중도 청동기시대 유적의 연대에 대해서 조사자는 "돋을띠 새김무늬(각 목돌대문토기)가 출토된 집터는 기원전 11세기 이전, 청동기시대의 가장 이른 단계에 속하며, 기원전 9~6세기의 장방형 주거지가 다수 확인되고 있다."고 하였다. 청동기를 반출하는 유적은 대체로 후자의 범위(기원전9~6세기) 안에서 찾아볼 수 있을 것 같다. 좀 더 줄여서 보자면 기원전 7~6세기의 청동기로 추정하였다. 춘천지역에서 고조선시기의 전형적인 비파형동검과 청동기 유물이 주거지와 석관묘와 고인돌무덤에서 출토되었다. 춘천지역 일대에서 전형적인 비파형동검이 6점이나 출토되었는데, 이는 우리나라에서 가장 집중적으로 출토되고 있다. 특히 이 점을 주목해야 할 것이다.

5) 석기(石器)와 옥기(玉器)

(1)석기

Ⅰ유형 주거지에서 출토된 석기로는 석부, 석도, 석촉, 석검, 지석, 연석, 방추차 등이 있다.

Ⅱ유형 주거지에서 출토된 석기로는 석부(蛤刃, 柱狀扁刃, 有溝), 석도(魚形·舟形), 일체형석촉, 석검, 석창, 석착, 지석, 연석, 방추차 등이 있다.

Ⅲ유형 주거지 출토 석기로는 석부(蛤刃·扁刃·주상편인·유구), 석도(어형·片舟形), 석촉(일단경식·일체형), 석검, 석과, 석창, 석착, 지석, 연석, 방추차 등이 있다.

Ⅳ유형 주거지에서 출토된 석기로는 석부, 연석, 未完成석기 등이 있다. Ⅳ유형의 출토된 석기류의 유물은 미완성 석기, 격지, 방추차, 합인·편인석부, 고석, 지석, 연석 등이 출토되었으나, 未完成석기의 출토 량이 다수를 차지한다.

E구역 ⅢA유형 37호 장방형 주거지에서 선형동부, 검파두식과 함께 한 무더기의 일단경식 석촉과 일체형 석촉이 출토되었다. 청동기류의 출토예로 미루어 보아 상당히 지위를 가지고 있는 인물의 주거지로 추정된다.

E구역 ⅢB유형 455호 세장방형 주거지에서는 점토다짐토와 노지와 연접해서 작업 공간으로 추정되는 수혈구덩이가 확인되었는데, 내부에서 作業臺로 추정되는 割石을 비롯하여 未完成석기편과 未詳석기들이 그대로 놓여 진 상태에서 노출되었다. 이 주거지는 아마 비교적 규모가 큰 작업잔으로 추정된다.

Ⅰ.Ⅱ.Ⅲ유형에서는 농경도구(農耕道具)와 가공도구가 출토되는 것으로 보아 일반 주거지로 추

정되며, ⅢB유형 주거지와 Ⅳ유형 주거지는 작업장으로 추정된다.

(2) 옥기

A구역의 9호 묘역식 지석묘에서 원형 소옥한 점이 출토되었다. 그리고 C구역 묘역식 석관묘에서 耳飾으로 판단되는 반원형 형태의 옥 2점이 출토되었다.

E구역의 Ⅰ유형의 469호 장방형주거지에서 옥부와 옥착이 출토되었다. 장축이 19~20m, 단축 9~10m 내외의 초대형 주거지이다.

옥착은 옥월과 같이 쓰일 수도 있다. 부와 월은 작은 도끼와 큰 도끼를 말하는 것인데, 고대사회에서 임금이 지방행정관이나 出征하는 장군에게 내리는 권위의 징표이다. 옥부나 옥월은 고대 사회에서 최고책임자급의 인물이 소지하는 상징적인 의례용례기이다. 이런 옥기들이 출토된 초대형 주거지는 이 지역의 최고책임자급의 주거지가 아닌가 추측된다.

중도유적의 주거지와 무덤에서 옥부와 옥착, 관옥, 소환옥, 곡옥 등 옥기류들이 출토되고 있다는 사실은 고조선시대 인류들의 영생불멸(永生不滅) 신앙을 짐작할 수가 있다. 그리고 옥을 숭상한다면 이는 영생불멸의 신앙적 요소를 갖춘 宗敎와 일정한 관계가 있다고 볼 수 있다.

4) 고인돌무덤(支石墓)

청동기시대의 고인돌무덤이 북한강이나 소양강 연안에 밀집하여 분포하고 있을 뿐만 아니라 강변에 지석묘(고인돌무덤) 군이 분포이 하고 있음을 확인할수 있다고 하는 사실은 이 시기의 인류들이 강안 지역에서 생활하면서 주거지에 가까운 지역에 그들의분묘를 조성 하였을 것이다.

춘천지역은 매우 독특한 고대문화 중심지역으로 소위 북방식과 남방식이 함께 공존하고 있지만 한편, 묘광을 돌로 덮고 그 위에 덮개돌을 덮는 이른바 개석식(蓋石式) 혹은 적석식(積石式)이 라고 하는 고인돌무덤(지석묘)이 사용 되고 있다. 북방식은 천전리나 신매리 에서 볼 수 있고 남방식은 방동리에서 볼 수 있다. 천전리에서는 북방식 고인 돌무덤과 함께 적석식 고인돌무덤도 함께 나타나는데 이는 중도에서 이번 발굴을 통하여 많이 들어난 묘제(墓制)로, 적석식 고인돌무덤은 중도유적을 대표하는 문화유형이다.

춘천 천전리 지석묘(고인돌무덤)

춘천 중도유적의 묘역식 支石墓(고인돌무덤)

중도의 적석식 고인돌무덤은 형태별로 각양각색이라서 그 특징을 일일이 설명하 기가 어려울 정도이다. 대표적인 형태를 보면, 적석식 고인돌무덤과 함께 분포되고 있는 묘제로 석관묘라고 하는 단독형 무덤이 있고, 석관묘에 돌을 덮은 적석식 석관 묘가 있고, 판석이나 돌로 묘곽을 만들고 주변에 돌을 덮은 적석식 석곽묘가 있다.

중도의 적석식 지석묘(고인돌무덤)는 적석식 석관묘나 적석식 석곽묘보다 큰 형태로 넓게 돌을 덮고 석관이나 묘곽 위에 판석을 덮었다. 중도의 적석식지석묘(고인돌무덤)는 크기별로 대·중·소로 분류되고, 유형별로 원형 방형 장방형 등 다양하게 구분될 뿐만 아니라 이들은 열을 지어서 분포돼 있다. 고고학에서는 이런 형식을 묘역식 고분 또는 묘역식 지석묘라고 한다. 이는 중도의 사회집단의 묘제이다. 아마 대형은 수장급 인물의 분묘일 것이고 그 외는 가족이나 사회조직의 지배계층의 인물의 무덤이다.

춘천 중도 C구역의 방형 적석총(수장급 무덤)이 철거되기 전 모습.
(2016.9)

적석식 고인돌무덤에 사용된 돌들은 강돌을 많이 사용했는데, 머리만하고 배게만 한 큰 강돌을 모두 북한강이나 소양강 강바닥에서 운반해 온 돌들이다. 그리고 깬 돌이나 판석은 삼악산 기슭에서 채석해 온 돌들일 것이다.

2014년 중도의 중심지역에서 발굴된 51기의 적석식 고인돌무덤의 분포 지역은 길이가 240m나 되는 넓은 면적에 세줄로 나란히 열을 지어 배열돼 있었다.

중도유적 내 묘역식 고인돌무덤(지석묘) 군이 철거되기 전 전경.
(후면 춘천 장군봉)

발굴자들도 '이 지역 사회의 위계질서를 확인 할 수 있는 귀중한 유적'이라고 했다. 그럼에도 불구하고 이 51기는 발굴 되자마자 모두 철거되어 한 쪽 구석에 야적(野積)해 놓았다.

조사 결과, 춘천 중도에서 지석묘(고인돌무덤)는 일군의 묘역을 이룬 이른바 묘역식 지석묘(고인돌무덤) 형식을 취하고 있다. 이 시기에 춘천지역에서 지석묘(고인돌무덤)와 함께 대단위 주거지가 발굴되고 있는 상황으로 보아 이들 주민과 그들의 매장습속이 매우 밀접한 관계가 있었던 것으로 추정된다. 이들이 매장된 대단위 묘역은 이 지역 사회 집단

춘천 중도유적의 고인돌무덤 군(支石墓群)이 철거 후 장면.
(2016.10. 후면 춘천 장군봉)

의 수장을 비롯해서 지배계층의 무덤이 공동구역 안에 매장됐을 것으로 보인다.

3. 춘천 중도유적과 홍산문화(紅山文化) 유적과의 관계

1) 대능하유역 적석총 및 석관묘의 성격

중국 요령성 조양시 대능하유역의 우하량 적석총에서는 대형 적석총안에 1기 또는 수십기의 석관을 안치하고 있다. 그리고 삼관전자(三官甸子) 석관묘와 호두구(胡頭溝) 석관묘의 외부 둘레에는 석장(石圍圈)을 축조하고 있다. 이와 같은 구조는 석실(石室)을 보호하는 역할과 성역화(聖域化)하는 역할을 겸하고 있기 때문에 앞서의 우하량적석총의 적석 외곽과 일맥상통한다고 볼 수 있다. 그리고 석관묘 또는 적석총의 주변이나 상층부에 석장을 시설하거나 적석 구조를 갖추는 형식은 동북아의 석묘문화(石墓文化)에서 흔히 볼 수 있다.

그리고 이들 적석총에서 특히 주목되는 것은 수장유물 이외에 적석총의 상부와 석관묘의 상부 및 석장에서 채도 또는 홍도계의 무저 혹은 유저(有底) 원통형기가 출토되고 있다고 하는 점이다. 이는 매우 특수한 장속으로 발해연안의 홍산문화(紅山文化)에서 보이는 특유의 묘제로 모종의 제사와 관련이 있지 않을까 생각된다.[50] 이와 같은 특수한 묘제는 이후에 출현하는 동북아의 고대묘제와도 어떤 관련이 있을 것으로 생각된다.[51]

홍산문화초기에 발생하고 있는 이들 세 유지는 모두 대능하유역의 구릉 상에 분포되고 있다. 이들 세 유지의 석관 내지 석곽의 축조 방법은 모두가 석판이나 할석으로 축조하는 이른바 수립 체성(砌成) 석관과 첩체(疊砌) 석관을 사용하고 있다.

발해연안 북부 대능하유역의 우하량 적석총과 호두구(胡頭溝) 묘지의 석관묘는 발해연안 동부 요동반도의 적석총에 이어지고 있는데, 이 시기는 중국 산동반도의 용산문화시기에 해당하며, 요동반도의 문화유형으로는 소주산 상층문화시기에 속한다. 그리고 우하량과 호두구의 '수립체성석관'은 홍산문화 이후에 나타나는 초기청동기시대의 문화류형인 하가점하층문화에 이어지는데, 그 대표적인 예가 대능하중류 풍하문화(豊下文化)의 석판묘, 오한기(敖漢旗) 범장자(范仗子) 석관묘 및 하북성 당산시 소관장(小官莊) 석관묘이다. 또한, 하가점하층문화의 다음 단계인 중기 청동기시대의 하가점상층문화에서 크게 유행하게 된다.

우하량적석총과 삼관전자묘지의 '첩체석관법'는 하가점상층문화와 같은 시기의 이른바 남산근문화(南山根文化)에서 유행하고 있다.

호두구묘지에서 찾아볼 수 있는 주목할 만한 사실은 홍산문화시기의 석관묘(M1)의 바로 윗 층에서 韓半島를 포함한 발해연안에 보편적으로 분포되고 있는 전형적인 비파형청동단검[52]을 출토한

---

50 홍산문화(紅山文化)는 발해연안 북부,중국 요령성 서북부와 내몽고 동남에 분포하고 있는 신석기시대 중후기문화이다. 기원전 3.500~2.500년 문화로, 석묘(石墓)와 제단과 신전이 특징이다.

51 圓筒形器는 뒤늦은 시기이지만 우리나라에서는 최근에 漢江유역의 百濟初期의 夢村土城에서 발견된 바 있고, 日本에서는-古墳시대의 大型古墳에 副葬하는 원통형 植輪(하니와)이 있다.

52 琵琶形靑銅短劍은 흔히 靑銅短劍이라고도 하고, 遼寧式銅劍 또는 滿洲式銅劍이라고도한다. 이 靑銅短劍은 靑銅器시 대중엽에 湯海沿岸북부와 동부 및 韓半島에 분포하고 있는 渤海沿岸의 독특한 靑銅兵器이다. 이 들은 주로 石棺墓나 石槨墓에서 출토되고 있는데 , 이를「靑銅短劍墓」라고

석관묘(M2)가 발견되었다고 하는 사실이다.

기원전 3500년경의 홍산문화시기로부터 다음 시기의 청동기시대에 걸쳐 하가점하층문화와 하가점상층문화에서 크게 유행한 석관묘(혹은 석곽묘)는 같은 시기에 요동반도를 비롯하여 송화강유역의 서단산문화(西團山文化)[53]와 두만강(圖們江)유역의 소영자문화(小營子文化)[54]네서 크게 유행하게 되고 이어서 한반도에서도 계속 유행한다.

한반도의 적석총으로는 황해북도 봉산군 침촌리(沈村里) 적석총 및 강원도 춘천시 천전리적석총을 들 수 있다. 천전리적석총에서는 마제석촉•벽옥제관옥 및 적갈색무문토기 등이 발견되었다. 특히 석촉과 관옥(管玉)은 심촌리적석총에서도 발견되고 있어 매우 주목된다.

이와 같이 한반도의 청동기시대 적석총의 석실 구조는 판석으로 석관을 구축한 대능하유지의 적석총이나 석곽 시설을 갖춘 요동반도적석총의 형제를 갖추고 있다.

한반도에서 발견된 적석총유지는 비교적 적은 편이나, 이와 같은 축조방법과 形制는 대능하유역의 적석총이나 요동반도의 적석총과 일맥상통하고 있음을 알 수 있다.

2016년 중도 3차 발굴에서 15기의 적석식 지석묘(고인돌무덤)가 발굴되었다. 15기의 적석식 지석묘(고인돌무덤)는 중앙에 대형의 방형 적석식 지석묘(고인돌무덤)가 안치된 대형 고인돌무덤의 주위에 방형, 장방형, 원형 단독형, 쌍분형(雙墳形) 혹은 다곽형(多槨形) 적석식 지석묘(고인돌무덤)가 배치되었다. 이들 적석식 지석묘(고인돌무덤)는 일군(一群)의 묘역(墓域)을 이룬 이른바 묘역식 지석묘(고인돌무덤) 형식이다. 이 묘역도 집단 사회의 수장을 비롯해서 그 지배 계층의 무덤이 공동구역 안에 매장됐을 것으로 보인다.

발해연안(渤海沿岸) 북부 중국 요녕성 조양시 우하량(牛河梁) 유적의 홍산문화(紅 山文化) 석관묘, 석곽묘, 적석총 등 많은 석묘(돌무덤)가 분포돼 있는데, 중도유적의 묘역식 지석묘(고인돌무덤)에서 보이는 분묘의 형태나 구조면에서 홍산문화의 석묘(돌무덤)에서 보이는 양상과 매우 유사하다[55].

중도유적의 돌무덤의 축조방법으로 본다면 홍산문화 원형 적석유구와 형태나 규모가 비슷하지만 홍산문화보다 연대가 늦다. 홍산문화의 가장 대표적인 유적인 우하량 유적 Ⅱ지점의 돌무덤의

도 칭한다.

53 西團山文化는 渤海沿岸동북부 東遼河와 松花江상류 사이의 長春 •吉林지구에 주로 분포하고 있다. 西團山은 吉林市서 남 2.5km 지점의 작은 산구릉에서 발견된 靑銅器시대의 유적을 일컫는다. 이는 石棺墓를 대표적인 특징으로 하고 있다.
西團山文化의 石棺墓는 대부분 비교적 높은 산능선 위에 위치하고 있는데 , 그 축조 방법은 土擴을 파고 돌과 石板으로 石棺을 쌓는 이른바 疊砌石棺法(疊砌墓)과 堅立砌成石板法(立砌墓)이 있다. 疊砌石棺法은 한 면을 다듬은 割石으로 石棺을 쌓아 올리는 방법이고(본문 그림18-② 참고), 堅立砌成石板法은 돌과 石板을 세워서 石棺을 조립하는 방법을 일컷는다.(그림 18-① 참고).
이와 같은 두 가지 축조 방법은 渤海沿岸북부 大凌河상류의 牛河梁積石塚과 石棺墓의 축조방법에서 흔히 찾아볼 수 있는 기법이다. 그러나 西團山文化의 石棺墓는 이보다 더 발전된 축조 방법을 사용하고 있다. 그것은 石棺의 발끝 부분에 또 다른 작은 石棺을 설치하여 副葬品을 담은 陶器를 묻는데, 이를 副棺이라고 한다.
이와 같은 방법은 渤海沿岸북부 中國 河北省 唐山市 小官莊의 夏家店下層文化石棺墓에서도 사용되고 있다.
西團山文化의 石棺墓의 葬式은 대부분 仰身直肢이고 , 어떤 石棺에는 돼지의 下顔骨을 隨葬하기도 한다. 가끔 西團山文化의 소수 石棺墓중에서 靑銅器가 출토되고 있다.
西團山文化의 연대는 早期에 속하는 吉林省 永吉縣 星星哨유지의 C14측정연대(樹輪校正後)가 3255±160 B. P. 로 나오고 있고 , 中期의 長蛇山유지 의 C14측정연대(樹輪校正後)는 2275±75 B.P. (405±85 B.C.)이고, 晩期의 棉屯大海猛유지의 C14측정연대(樹輪校正後)는 2050±90 B. P.로 나오고 있다. 이로 보아 早期는 기원전 1300년에 시작되었을 것으로 추정되며 , 晩期는 기원전 200년경 까지 지속되었을 것으로 보인다.

54 小營子文化는 豆滿江유역의 대표적인 靑銅器시대의 文化類型으로 이른바 小營子文化라고 할 수 있는데, 小營子文化는 豆滿江하류 吉林省 朝鮮族自治州 延吉縣 縣城북방 長安村 小營子의 구릉에서 발견된 石棺墓를 특징으로 하는 文化를 일컫는다. 이에 대한 자세한 보고로는 三上次男의 『滿鮮原始墳墓の研究』(1961, 吉川弘文館)가 있다.

55 이형구; 「돌무덤의 시원과 홍산문화」, 『한국고대문화의 비밀』, 김영사. 2004, 새녘출판사. 2014, pp.95~102.

연대를 기원전 3000년경으로 보고 있다.[원색사진 1 참조] 우하량 유적에서도 석관묘(石棺墓), 석곽묘(石槨墓), 적석총(積石塚) 등 여러 종류의 돌무덤이 단독으로, 쌍분으로 혹은, 20여 기가 집단을 이루고 조성돼 있는 대단위 묘역을 형성하고 있다. 대릉하 유역의 홍산문화 시기에는 적석총 이외에도 석곽묘와 석관묘가 크게 유행하였다.

우하량 유적 Ⅱ지점에서는 대형 적석유구 안에서 27기의 석관묘가 발굴되었다. 지금은 15기만 남아있다. 석관묘는 판석이 잘 남아 있고, 어떤 것은 석관을 덮었던 뚜껑돌의 일부가 남아 있다. 아마 단독으로 묻힌 대형의 방형 적석총은 이 사회 집단의 수장의 무덤으로 보인다. 중국학자들은 이 분묘들을 기원전 3000년경으로 추정하고 있으며, 이 적석총 사회를 '초기 국가단계의 사회'라고 규정하고 있다.

중도유적의 돌무덤의 형태나 구조면 에서 중국 요녕성 조양시 우하량(牛河 梁) 유적의 홍산문화에서 보이는 양상과 매우 유사하다. 우하량 유적은 필자가 1993년부터 여러 차례 답사하고 연구해 온 유적이다. 우하량 유적에서도 적석총, 석곽묘, 석관묘 등 여러 종류의 돌무덤이 단독으로, 쌍분으로 혹은 20여 기가 집단을 이루고 조성돼 있는 대단위 집단의 묘역을 형성하고 있다. 아마 단독으로 묻힌 대형의 방형 적석총은 이 사회 집단의 수장의 무덤으로 보인다.

중국 요녕성 우하량 Ⅱ지점의 방형 적석총(수장급 무덤).

우하량 Ⅱ지점의 원형 적석유구(제단)

우하량 Ⅱ지점의 돌무덤 군(石墓群)을 보존한 유리 돔
(중앙 원형 적석유구, 2014년 완공)

중국학자들은 이 분묘들을 기원전 3000년경으로 추정하고 있으며, 이 적석총 사회를 '국가단계의 사회'라고 규정하고 있다. 2013년 중국 정부는 이 우하량 홍산문하 유적의 중요성을 인식하고 넓은 유적 전체를 유리돔(Dome)으로 덮어 보존하고 있다.

우하량 유적에서 석관묘, 석곽묘, 적석총 등 여러 종류의 돌무덤이 단독으로, 쌍분으로, 20여기가 집단을 이루고 조성돼 있는 대단위 집단의 묘역을 형성하고 있다.

아마 단독으로 묻힌 대형의 방형 적석총은 이 사회 집단의 수장급(首長級)의 무덤으로 보인다. 중국학자들은 이 분묘들을 기원전 3000년경으로 추정하고 있으며, 이 적석총 사회를 국가단계의 사회'라고 규정하고 이를 방국(邦國)이라고 하였다[56]. 이를 초기국가의 사회 형태로 본 것은 참고할 만한 가치가 있다.

2) 요동반도의 적석총

요동반도에서도 청동기시대에 적석 총이 계속 사용되었다. 요동반도에는 장군산(將軍山), 노철산(老鐵山), 사평산(四平山) 적석총 그리고 강상(崗上)과 루상(樓上)의 석곽묘 등 청동기시대의 돌무덤들이 많이 분포되고 있다. 일찍이 요동반도의 장군산, 노철산, 사평산 그리고 우가촌 등지에서 대형 적석총이 확인되었다. 장군산의 대형 적석총 안에는 여러 기의 석곽이나 석관을 시설하고 있는 것이 특징이다. 요동반도의 적석총은 기원전 2000~1500년 경으로 보고 있다.

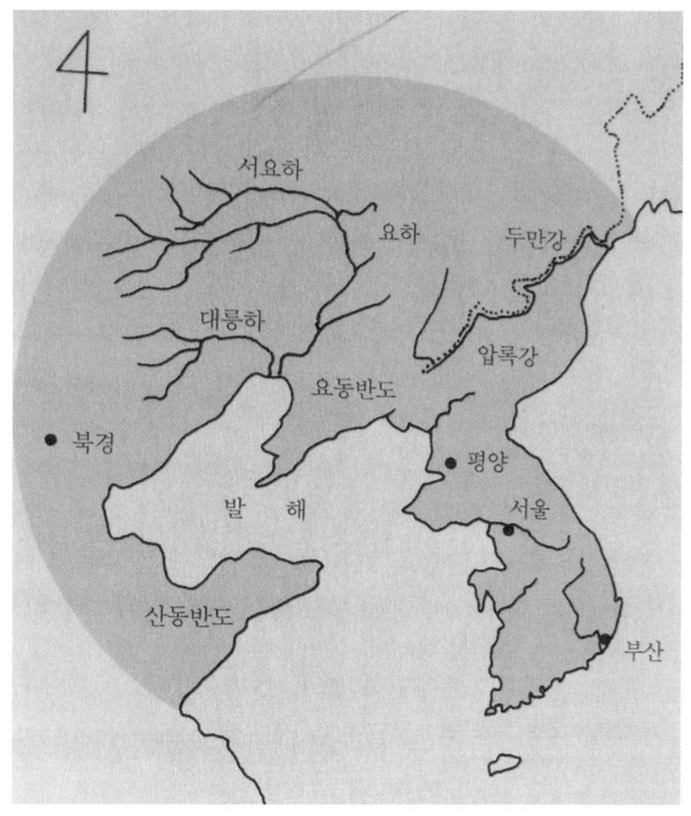

발해연안석묘문화(적석총 · 석곽묘 · 석관묘 · 지석묘) 분포 지도

56 곽대순(郭大順): 『紅山文化』, 문물출판사, 2005, p.196.

황해북도 침촌리 적석총(적석식 지석묘).

춘천 중도유적 적석식(묘역식) 지석묘

청동기시대 석관묘는 중국의 길림성 송화강 유역에 많아 분포돼 있다. 그 가운데 송화강 유역 길림시 서단산(西團 山)과 동단산(東團山)에서 발굴된 석관 묘가 유명하다. 이들 석관묘들은 특별히 '서단산문화'라고 한다. 서단산문화는 기원전 1500~1000년경으로 보고 있다. 기원전 3000년의 우하량 유적 Ⅱ지역의 석관묘와는 시간적 갭이 1000년 정도 되지만 이것은 중간 지점인 요동반도와 길림 지방과 지리적 범위가 아주 가까이 있기 때문에 전파나 혹은 발전단계 과정을 거쳐 한반도로 연결될 수 있었다고 볼 수 있다.

한반도에서도 청동기시대에 적석총이 축조되고 있는데, 황해북도 황주군 침촌리 적석총(적석식 고인돌무덤)은 적석총 안에 여러 기의 석관이 조성돼 있다. 침촌리 유적의 연대는 기원전 1.500~1.000년경으로 보고 있다[57].

이와 같은 형식의 적석총이 강원도 춘천시 천전리 유적이나 중도유적에서도 찾아볼 수 있다. 춘천 중도유적의 170여 기에 달하는 청동기시대의 귀중한 돌무덤이 모두 해체 철거되어 서양의 놀이시설인 레고랜드가 착공될 날만 기다리고 있다[58].

한반도에도 청동기시대에 조성된 석관묘가 널리 분포돼 있다. 대동강 유역이나 재령강 유역 그리고 한강 유역에 석관묘가 많이 분포돼 있다. 물론 낙동강에도 석관묘가 널리 분포돼 있다. 진주 남강 유역의 옥방(玉房)유적에서 적석유구와 석관묘를 발굴하였다. 이들 묘제는 요동반도와 길림지방의 묘제와 매우 유사하다. 한편, 옥방유적에서도 옥(玉)이 많이 나왔다. 그리고 옥을 제작하는 공방(工房)이 발굴되었다. 특히, 빗살무늬토기와 빗금무늬토기가 함께 출토되었다. 이외에도 옥방유적의 석관묘에서는 빨간 홍도(紅陶)가 나왔다[59].

홍산문화의 적석총이나 석관묘에서도 흔히 홍도가 출토되고 있다. 홍도와 같은 계열의 빨간 홍도이다. 공간적, 시간적으로 갭이 있지만 중간 과도지점과 과도시기를 거쳐 한반도에 이르렀을 것이다.

대릉하 유역에서 한반도에 오기까지는 요동반도와 길림지방을 거쳐야 한다. 대릉하 유역에서 한반도로 바로 전파 되었다고 하기 보다는 요동반도를 거쳐서 한반도에 이르게 된다[60].

4. 춘천 중도유적의 역사적 의의-진주 남강유적과의 관계

춘천지역에 청동기시대의 고인돌무덤이 매우 밀집된 현상으로 보아 이 시기에 대단위 주거지가 밀집되었을 것으로 추측된다. 한편 춘천지역에서 경작유구(밭)가 많이 발굴되는 것으로 보아 청동기시대의 농경인들은 밭농사를 주로 했을 것으로 추정된다.

중도에서 방형 환호와 다량의 주거지와 수혈 등이 발굴되고 농경인들의 주거지와 지석묘 군이 집중 분포되어 있는 것이 확인되고 있어 중도 일대가 춘천지역의 대단위 공동체사회(共同體社會)의 중심 지역이었을 가능성이 매우 높다.

필자는 1993년부터 여러 차례 우하량 유적을 답사와 연구 경험을 통해서 본 결과 한반도의 북한강 유역 춘천지역의 돌무덤(石墓)과 여러 면에서 같은 문화유형의 묘제로 보아 왔고, 당시 고대사회도 상당한 사회조직이 형성되었을 것으로 보아 발해연안 북부의 홍산문화와 매우 밀접한 관계로 연결된다고 하는 사실을 주장한바 있다[61].

중도유적은 고고학상으로는 청동기시대로 편년되고 있으나 역사적 편년으로는 고조선시기(고조선시기)이다. 이는 어쩌면 우리가 잊고 있었던 고조선시기의 또 하나의 실체일 수 있다. 앞으로의 중도유적의 또 하나의 과제는 이 점을 규명하는 일이다.

1996~1999년까지 4년 동안 경상남도 진주 남강댐 수몰지구 내의 옥방(玉房)5지구에서 발굴되었는데, 이 발굴에서 청동기시대 주거지와 옥기공방, 원형적석유구, 석관묘 등이 발굴되었다. 그리고 인접지역에서는 환호와 경작유구가 확인되었다.

진주 옥방(玉房)5지구에서는 이외에 토기, 석기, 옥기, 패각, 청동기 등 많은 유물이 출토되었다. 그 중에 토기는 구연부에 주로 덧띠(돌대)나 간단한 무늬를 둘렀는데, 토기 무늬는 돌대각목문토기, 구순각목문토기, 공열문토기, 단사선문토기, 거치문토기, 이중구연토기 등이 있다[62]. 진주 옥방유적에서 출토된 토기는 청동기시대 조기 혹은 전기로 분류되고 있다[63]. 이들은 춘천 중도유적에서 출토되고 있는 신석기시대에서 청동기시대로 넘어가는 과도시기의 전형적인 유물들이다[64].

한편, 진주 옥방(玉房)5지구에서 발굴된 원형 적석유구(積石遺構)-원형 적석식 고인돌무덤은 발해연안에서 신석기시대부터 청동기시대에 유행한 묘제이다. 원형 적석유구는 둥그런 제사유적과 원형 적석식 고인돌무덤이다. 이 유구는 발해연안-동아시아의 청동기시대의 대표적인 유적이다. 옥방(玉房)5지구 원형 적석유구는 지름이 4m나 된다. 이 원형 적석유구는 발굴을 완료하고 나서 물에 잠기게 되는데, 댐 공사가 완료되면 자연 물 속에 매몰되어 파괴 인멸되는 처지이다. 실제로 남강유역에서 발굴이 완료된 후에 많은 유적들은 모두 매몰되어 없어졌다. 이 유적은 물속에 수몰되기 전에 이전 보존해야만 한다고 생각하였다. 이런 원형 적석유구들을 주변 문화유적과 비교 연구하기 위해서는 이를 꼭 보존해야 되겠다고 생각했다. 그래서 이 적석유구를 큰 돌뿐만 아니라 자갈돌, 모래알까지도 모두 콘테이너에 넣어서 실어와 아산에 7년 동안 보관하고 있었다. 선문대학교 중

---

61 이형구 ; 『발해연안문명』, 상생, 2015, p.156.
62 이형구 ; 『진주 대평리 옥방5지구 선사유적』, 선문대학교 박물관, 2000.
63 김병섭, 「남강유역 조기~전기 무문토기의 편년」, 『한국청동기시대 편년』, 서경문화사, 2013, pp.243~280.
64 이형구 ; 「춘천 중도의 고대 공동체사회」, 『한국고대사탐구』 21, 2015, pp.426~429.

앙도서관 4층에 특별히 '진주옥방유적전시실'를 마련하여 원형적석유구를 이전 복원 전시하였다.[65]

선문대학교 중앙도서관 4층에 특별히 '진주옥방유적전시실'를 마련하여 진주 남강 옥방유적의 원형 적석유구(묘역식 지석묘)를 옮겨와 복원하였다.(2006.10.27) 대형 고고학 유적이 실내에 이전 복원된 사례는 매우 드문 일이다.

우리나라 청동기시대의 대표적인 문화유형의 하나인 원형 적석유구를 그대로 이전 복원하여 전시할 수 있어 다행이다. 만일 이것이 이전 복원이 되지 않았다면 동북 아시아의 석묘문화(石墓文化)를 비교 연구할 수 있는 귀중한 자료이다.

선문대학교 박물관에 이전 복원된 진주 옥방유적의 원형 묘역식지석묘(2006.10.27.)

서양기독교문서를 전시하기 위해 한국청동기시대 묘역식지석묘가 철거되고 있다(2018.2.27)

---

65 선문대학교 박물관 '진주옥방유적전시실'에 이전 복원한 원형 적석유구도 없어졌다 최근.(2018.2.27)에 대학 측에서 서양기독교문서전시실로 교체하였다.

그러나 진주 옥방에서 선문대학교 박물관 '진주옥방유적전시실'에 이전 복원해 놓은 원형 적석유구는 지금은 찾아볼 수 없게 되었다. 문화재 관리 당국의 복원 유적에 대한 보호 관리가 절실히 필요했던 사례이다.

창원 진동리 유적 원형 적석유구(묘역식 지석묘) 발굴 모습(경남문화재연구원)

한반도에서는 황해 심촌리 유적이 일찍이 알려졌었고, 한강유역에서는 춘천일대에 널리 분포돼 있고 대단위 유적으로는 중도유적이 대표적이다. 그리고 남해안 쪽으로는 경남 창원 진동유적을 들 수 있다.

창원 진동리 유적은 1980년에 경상남도가 실시한 자동차면허시험장 건설을 위한 축대공사 중 지하 1.5m에서 적석유구가 발견되어 경남문화재연구원 역사문화센터에서 발굴조사했다.[66]

이와 유사한 원형 적석유구(지석묘)가 일본 큐슈지방의 요시노가리 부근 구보이즈미마루야마(久保泉丸山) 유적에서도 원형 적석유구(묘역식 지석묘)가 118기가 발굴되 요시노가리 유적과 함께 잘 보존되어 있다.[67]

춘천 지방의 원형 적석유구(묘역식 지석묘)은 과거 일부 학자들이 시베 리아의 카라스크(Karasuk)-타 타가르식(Tagar式) 적석총에서 유래됐다'고 하는 기존의 주장[68]을 뒤바꿀 수 있는 귀중한 유적이다. 구 소련(러시아)에서도 원형 적석유구가 발굴되었다. 알타이대학과 일본 쯔쿠바(筑波)대학이 공동으로 알타이 지방의 페시체르킨 로크(Peshcherkin log)에서 적석총

일본 구주 구보이즈미마루야마(久保泉丸山) 지석묘

66 경남문화재연구원 역사문화센터, 「마산진동지구도지구획정리사업 예정부지 문화유적 시굴조사 약보고서」, 2003.
67 국립중앙박물관, 『요시노가리 일본 속의 고대 한국』 2007, p.16.
68 김원룡, 『한국고고학개설』, 1973, p.97.

을 발굴했다.[69] 이 유적은 원형 적석유구의 형태를 취하고 있어 발해연안(渤海沿岸)-동북아시아의 이런 유형과 자주 비교되고 있다. 그러나 알타이(Altai)지방의 적석묘의 연대는 기원전 2500~1200년경으로 편년되고 있다.[70]

알타이지방의 페시체르킨 로크(Peshcherkin log)에서 발굴된 원형 적석유구

적석식 매장유구(埋葬遺構)는 중국 요령성 우하량 홍산문화 유적에서 익히 보아온 터라서 발해연안에서 유행하고 있는 그 분포지역의 묘제(墓制)라는 것을 자연 알게 된다. 한국의 청동기시대 문화의 원류를 규명할 수 있는 귀중한 유적이다. 춘천 중도 유적 적석식 매장유구(埋葬遺構)는 진주 옥방유적의 원형 적석유구로 이어지는 과도 적인 유적이다. 우리나라의 고고학계에서 '시베리아 기원설' 문제가 제기되면 반드시 우리나라 고대 묘제(墓制)인 석묘문화가 대두되는데 이전 복원한 원형 적석유구를 실증적으로 보여 줄 수 있게 되었다. 그러나 지금은 찾아 볼 수 없게 되어 서로 비교 연구하기가 어렵게 되었다.

춘천지역에 청동기시대의 지석묘(고인돌무덤)가 매우 밀집된 현상으로 보아 이 시기에 대단위 주거지가 분포되었을 것으로 추측된다. 그리고 춘천지역에서 경작유구(耕作遺構)가 발굴되고 있는 점으로 보아 농경인(農耕人)이 거주을 했을 것이다. 중도에서 2014년 발굴 결과, 환호와 대량의 주거지와 수혈 등이 발굴되었다. 중도는 농경인의 주거지와 고인돌무덤 군(群)이 집중 분포되어 있다.[71] 중도가 대단위 공동체사회(共 同體社會)의 중심 지역이었을 가능성이 매우 높다[72].

고고학은 연대가 매우 중요한 학문이다. 그러나 양자의 연대가 1500년 내지 1000년의 차이가 난다는 사실은 문화기원론에 매우 중요한 근거가 된다. 발해연안 북부 대릉하 유역의 우하량 돌무덤(적석총)의 축조 연대는 시베리아의 돌무덤(적석총)보다 무려 1500년 내지 1000년이나 빠르다는 사실이 밝혀졌다. 발해연안의 대릉하 유역은 한반 도에서 지리적으로도 시베리아보다 가깝다. 그러므로 한반도의 돌무덤의 기원을 시베 리아에서 찾는다는 것은 무리이다. 발해연안에서 찾아 볼 수 있을 것이다.

---

69 쯔꾸바대학 역사 인류학과, 「일쏘공동알타이지방고고학조사개보」, 1986.
70 李亨求; 「渤海沿岸古代之石墓與石棚」, 『渤海沿岸古代文化之研究』 國立臺灣大學博士論文, 1987, p106, p.133.

5. 맺는 글

2013년 춘천시가 의암댐 안의 중도에 '레고랜드(LEGOLAND)'를 만들기 위해서 유적을 긴급 구제 발굴하게 되었다. 2014년 중도 현장에서 청동기시대의 대단위 취락(聚落)과 환호(環濠)가 있는 중심지역(지도 계층 구역으로 추정되는)의 대형 주거지에서 비파형 청동단검과 선형동부(扇形銅斧)가 발견되었다. 그리고 이들이 남긴 묘역식(墓域式) 지석묘가 다량으로 발굴되었다.

중도유적이나 남강유적의 적석유구(지석묘)와 석곽묘, 석관묘 등 돌무덤(石墓)의 형태나 구조면에서 발해연안(渤海沿岸) 북부 중국 요녕성 조양시 우하량(牛河梁) 유적의 적석총, 석곽묘, 석관묘 등 홍산문화(紅山文化)의 돌무덤에서 보이는 양상과 매우 유사하다고 하는 사실을 알게 되었을 뿐만 아니라 이들은 동일계열의 문화권이라고 하는 사실을 알게 되었다. 우리는 흔히 문화의 동질성과 민족의 동질성은 서로 통한다고 말 한다.

선문대학교 박물관 '진주옥방유적전시실'에 이전 복원하여 전시 한적이 있는 진주 옥방유적의 원형 적석유구와 이와 함께 출토된 청동기시대 조기(早期)의 유물들은 한국의 고고학계에서 '시베리아 기원설' 문제가 제기되면 반드시 대두되고 있는 유적이다. 우리나라 고대 묘제(墓制)가 발해연안에서 형성 발전했음을 보여 주고 있을 뿐만 아니라 청동기시대 조기의 문화 발전론을 연구하는데 실증적으로 보여 줄 수 있다.

.고고학적으로는 발해연안 북부 대릉하(大凌河) 유역의 우하량 유적의 방사성 측정 연대가 기원전 3500~3000년경으로 나오는 데 반해 시베리아에서는 이른 시기의 유적이라고 하는 알타이(Altai)지방의 적석묘의 연대는 기원전 2500~1200년경으로 편년되고 있다. 알타이지방의 페시체르킨 로크 적석총은 아파나시에프(Afanasyevo) 시기의 쿠르칸으로, 그 시기는 대체로 기원전 2000년 전후시기(B.C. 3000년기 말 ~B.C. 2000년기 초)로 추정하고 있다[73]. 그것은 돌무덤(石墓)에 대한 원류를 말할 때 근거 자료가 되고 있다.

중국은 발해연안 북부 대릉하 유역 우하량 유적에서 발굴된 홍산문화의 돌무덤의 역사 문화적 가치와 중요성을 인식하고 2013년, 우하량유적 Ⅱ지점의 돌무덤 전체를 유리 돔(Dome)으로 덮어 보존하고 있다.

한편, 일본 정부는 1986년부터 4년반 동안 큐슈(九州) 사가현(佐賀県)의 400,000㎡에 달하는 요시노가리 유적을 발굴한 후 1991년에 일본 특별사적으로 지정하고, 2001년에는 일본 국영역사공원(國營歷史公園)으로 지정하여 세계적인 역사체험공원을 조성하였다. 요시노가리 유적은 청동기시대에 우리나라 남부 지역과 문화적 교류를 잘 보여주는 유적이다[74].

모두가 타산지석(他山之石)으로 삼아야 할 좋은 사례이다.

---

73 여기서 'B.C. 3000년기(年紀)'라고 하는 것은 기원전 2999년에서 2001년까지를 의미하고, 'B.C. 2000년기(年紀)'라고 하는 것은 기원전 1999년에서 기원전 1001년까지를 말하는 것이다.
74 국립중앙박물관, 『요시노가리-일본 속의 고대 한국』, 2007.

〈참고문헌〉

강원문화재연구소, 「춘천 우두동유적 I -직업훈련원 진입도로 확포장공사구간유적 발굴조사보고서」, 2011

강원고고문화연구원, 『춘천 중도동 취락-4대강살리기사업 춘천 중도동 하중도C지구 발굴조사 보고서』, 2013

경남문화재연구원 역사문화센터, 「마산진동지구도지구획정리사업 예정부지 문화유적 시굴조사 약보고TJ, 2003.

고려문화재연구원, 「춘천 중도D구역 발굴조사 약보고서」, 2017,

국립중앙박물관, 『중도』 I ~V, 1980~1984.

국립중앙박물관,『한국의 청동기문화』, 범우사, 1992,

국립춘천박물관, 『강원 고고학의 발자취』, 2004,

국립중앙박물관, 『요시노가리-일본 속의 고대 한국』, 2007.

김병섭, 「남강유역 조기~전기 무문토기의 편년」, 『한국청동기시대 편년』, 서경문화사, 2013,

김원룡; 『한국고고학개설』, 일지사, 1973. 제3판 1986년.

김정배; 『한국민족문화의 기원』, 고려대학교 출판부, 1973.

김재원·윤무병; 『한국지석묘연구(韓國支石墓硏究)』, 국립박물관, 1967.

동아대 박물관, 『남강유역문화유적발굴도록』, 경상남도, 1999.

문화재청; 「춘천 중도유적 보도 자료」, 2014. 7. 28.

이영문; 「려천시 지석묘발굴조사」, 『제13회 한국고고학전국대회발표 요지』, 1989.

이영문·정기진; 『려천 적량동 상적 지석묘』, 전남대학교 박물관, 1993.

이형구; 『한국고대문화의 기원』, 까치, 1991.

이형구; 『한국고대문화의 비밀』, 김영사. 2004, 새녘출판사 중간본. 2014.

이형구, 「춘천 역사문화 유적의 보존과 개발」 『춘천시민강좌』, 춘천역사문화연구회2014년 10 월 27일.

이형구; 『발해연안문명』, 상생, 2015.

이형구; 『박근혜 대통령에게 드리는 춘천 중도유적 보존을 위한 백서(白書)』,2015, 동양고고학연구소.

이형구; 『춘천 중도 유적 보존을 위한 백서』 ebook, 새녘출판사, 2015.

이형구; 「渤海沿岸地區 遼東半島의 고인돌무덤 연구」, 『정신문화연구』 32, 한국정신문화연구원, 1987.

이형구; 「渤海沿岸 石墓文化의 硏究」, 『韓國學報』 50, 일지사, 1988.

이형구; 「동북아석묘문화의 분포와 그 기원문제」, 『한국학의 과제와 전망』 1, 제5회 국제 학술회의 세계한국학대회 논문집, 한국정신문화연구원, 1988.

이형구; 『강화도 고인돌무덤[지석묘]조사연구』, 한국정신문화연구원, 1992.

郭大順; 『紅山文化』, 文物出版社, 2005,

李亨求; 「渤海沿岸古代之石墓與石棚」, 『渤海沿岸古代文化之硏究』 國立臺灣大學博士論文, 1987,

有光敎一, 「조선강원도의 선사사대유물」.『考古學雜誌』28-11, 1938

쯔꾸바대학 역사 인류학과, 「일쏘공동알타이지방고고학조사개보」, 1986.

종합토론

좌장: 손병헌(孫秉憲) 성균관대학교 명예교수

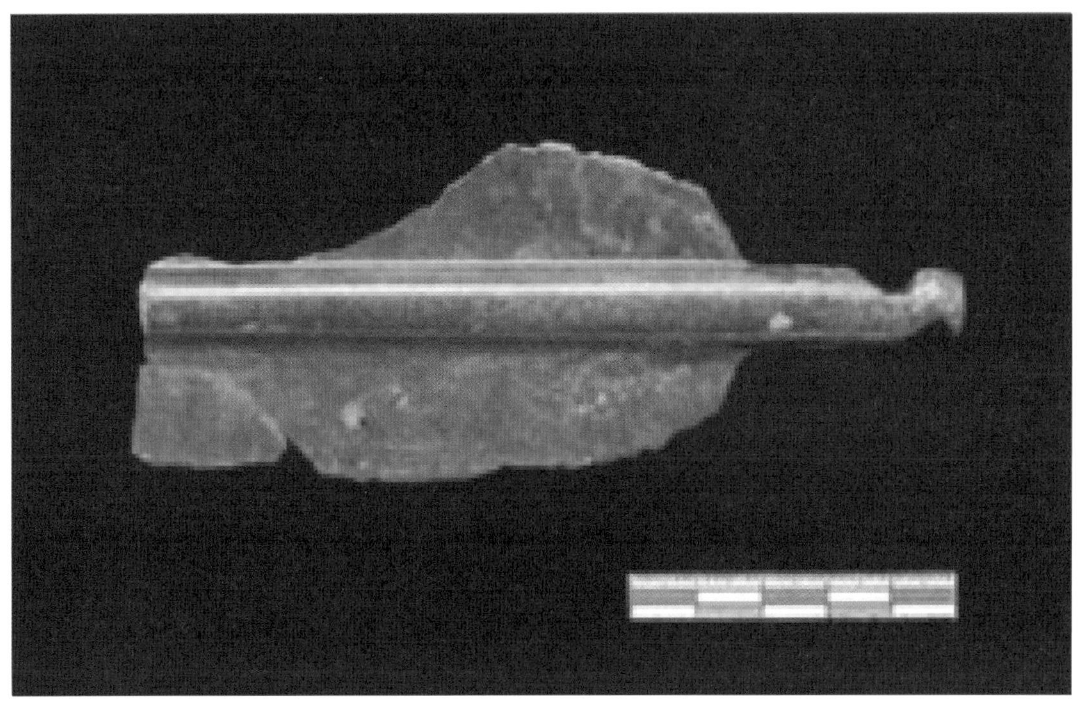

중도 A1구역 지석묘군 철거 시(2014.12.5) 수습된 비파형동검

종합토론 좌장 손병헌(孫秉憲) 성균관대학교 명예교수 모두 발언

김종규 문화유산국민신탁위원장은 중도유적이 어떻게 발굴되고 처리되었는지를 알고 자괴감을 느낀다고 말씀하셨습니다.

조유전 전 국립문화재연구소장도 같은 취지의 말씀을 하셨는데, 저 또한 마찬가지입니다.

저도 중도유적의 발굴 보존대책을 보면서 이것은 한국고고학의 수치라고 생각합니다. 저는 개인적으로 중도유적이 경주의 신라 왕릉이나 부여의 백제 왕릉, 집안·평양 주변의 고구려 왕릉, 좀 더 솔직하게 말씀드린다면 이제까지 우리나라에서 발굴된 어떤 유적에도 뒤지지 않는 훌륭한 유적이라 생각합니다. 그리하여 벌써 이 유적의 대부분이 훼손되었지만 지금이라도 남아 있는 부분은 보존하고 훼손된 부분은 되살려야 한다고 주장합니다.

중도유적의 성격을 올바르게 이해하기 위해서는 여러 가지 관점에서 고려할 면이 많겠지만 오늘 저는 꼭 고려해야 할 두 가지 문제를 지적하겠습니다.

첫째 문제는 중도유적은 어떤 사회가 남겨 놓은 것인가? 공동체사회(Town)가 남겨 놓은 것인가 아니면 도시사회(City)가 남겨 놓은 것인가?[75] 2000기 가까운 주거지가 발견되었으므로 이 유적은 도시유적으로 보아도 좋다고 생각하는 분들도 있지만 그러기 위해서는 2000기의 주거지들이 우리가 생각하는 어느 한 시점에 모두 존립하였는지를 먼저 증명해야 합니다.

신석기시대·청동기시대·철기시대 유물이 함께 출토되는 이 유적에서는 세밀한 조사와 분류가 필수적입니다. 신석기시대·청동기시대·철기시대 각각의 주거지들이 발굴을 통해 확정되어야 합니다.

두 번 째 문제는 중도유적과 그 주위의 특히, 서북지역과 서해안 지방의 동시대 유적과의 비교입니다.

중도 유적이 신석기시대·청동기시대·철기시대 유구를 포함하는 다 문화층 유적이기에 인근 지역의 문화유적의 생성 시기를 판단하는데 준거가 될 수 있기 때문입니다.

모두에서 말씀드렸지만 중도 유적의 보존은 지금 한국고고학계가 직면한 가장 중요한 문제라고 저는 생각합니다. 그러함에도 불구하고 저를 포함하며 고고학을 가르치는 교수들이나 문화재의 관리를 책임지는 문화재청은 수수방관하고 있습니다. 오직 이형구 교수만이 중도유적 보존의 중요성을 목이 쉬게 부르짖고 있습니다.

사석에서 이형구 교수와 만날 때마다 이 점에는 “나도 죄인이다.”라고 말한 것이 업(業)으로 되어[76] 오늘 꼭 참석해 달라고 이형구 교수가 부탁했을 때 거절할 수가 없어서 오는 이 자리에 나오게 되었습니다.

감사합니다.

토론문 1.

심봉근(沈奉謹) 전 동아대하교 총장

심봉근 입니다.

먼저 이형구 교수님은 석촌동 고분군, 풍납토성 등 우리나라의 굵직한 서울 지역의 큼직한 유적들을 보존하는데 앞장을 서서 대부분 성공하셨다고 생각합니다. 오늘 이 자리에 참석하고 보존의 시급함과 현 상황의 심각성을 인지할 수 있었습니다. 그런 의미에서 이형구 교수님이 먼저 발 벗고 앞장 서 주심에 감사하게 생각하고 있으며, 앞으로도 이러한 노력을 지속적으로 기울여 주시길 기대합니다.

이 문제에 대해서 오늘 발표한 내용 중 제가 인상 깊게 본 점은 첫째, 이는 신석기시대후기부터 백제초기까지 유적이 형성을 했습니다만, 여하튼 계속해서 사용되었다는 점. 이는 년도로 치면 대략 2500년 정도는 이 유적이 남아 있었고, 사람이 살았다는 이야기가 요점입니다.

그에 대한 배경으로는 앞서 언급하였던 해수면 상승 문제가 있습니다. 물론 신석기시대에 후기부터 기후가 따뜻하여 해수면이 상승하게 됩니다. 왜 해수면이 필요하였느냐, 이는 당시의 교통로는 육지가 아닌 수로가 지금의 고속도로와 같은 역할을 하였기 때문에 해수면이 상승되어야 춘천지역에 접근하기가 용이하였기 때문입니다. 청동기시대 해수면 상승에 대해서는 누구나 이야기를 하고 있습니다. 해수면 상승현상은 기온의 상승으로 인해 빙하가 녹아 발생합니다. 청동기시대는 이미 따뜻하였기 때문에 춘천 지역의 농경이 가능한 것이었습니다. 물론 밀과 같은 밭농사는 추운 날씨에도 가능할지 몰라도 벼농사와 같은 경우 추운 날씨에 더욱이 불가능합니다. 그런 면에서 자연 환경이, 춘천이 해수면이 높아 교통이 상당히 용이하였다는 점을 제가 느꼈습니다.

또 다른 점은 최근 제가 남부 지방의 성곽에 대해서 관심을 가져 조사를 하는 과정에서 느꼈던 것인데, 삼국사기에 기록된 모습, 예를 들어 고성군에는 성곽을 조사해보니 군과 현이 있었던 장소에는 다 성이 있습니다. 그 또한 처음에는 문무왕 때는 산성이었으며, 경덕왕 때는 내려와서 토성으로 바뀌게 됩니다. 이것이 거제, 남해, 고성 지역의 똑같은 현상입니다.

그 다음으로는 고분이 있습니다. 이는 즉 성, 고분, 또 사람들의 주거지가 있을 땐, 이 세 가지가 같이 있었던 장소가 즉, 군과 현이 있던 자리임을 뜻합니다. 이는 취소라는 부분이 되는 것입니다. 조선시대에는 이를 읍성이라 칭했습니다.

저는 이를 여전히 염두에 두고 있는데 오늘 보니 고분, 주거지, 화로와 경작지가 있습니다. 이는 오늘날 우리가 말하는 취소와 같은 역할을 하는 장소라는 것이 추측 가능합니다. 또 청동기시대를 중심으로 이루어졌다함은 매우 중요한데, 국내에 이렇게 갖추어진 유적은 아마 존재하지 않을 것입니다. 이러한 면에서 방호가 이것이 환호인가 하는 것은 외적을 막기 위한 부분도 있고, 또 하나는 산짐승의 침입을 방지하는 경계 역할도 하며, 때로는 우기에 침수를 방지하는 등의 요소가 존재하기 때문에, 이러한 모든 요소를 이 중도가 가지고 있다 생각하여 이에 대한 말씀을 드렸습니다.

결론적으로 제가 이에 대한 말씀을 드린 이유는 우리가 보존을 하기 위해서는 중요성이 강조가

되어야 보존이 되는 것이지 국가사업 행위가 아닌 한 그저 일반적인 유적을 보존하자고 할 수는 없습니다. 그렇기에 일전에 요시노가리 첫 시작할 때, 사가현이 요시노가리 유적을 발견하기 전에 후쿠오카 현에서 네다섯 개 유적을 가져다 대폭 강화시켰습니다.

1977-78년, 이 시기에 일본은 경제적으로 상당히 전성기에 속합니다. 경제적인 여유가 있었기 때문에 이런 유적이 처음에는 주거지와 방호, 동검이 나오는 좁은 지역이었음에도 불구하고 그 일대를 확대하여 국가 사적으로 우리가 말하는 지정이 아쉬웠던 것입니다. 그리고 그 뒤에 발굴 단계에서 논이 나왔습니다. 그래서 일본은 후쿠오카의 이마츠키 유적이 일본이나 그 일대의 유적으로서는 최고最古라고 삼았고, 그 발자국을 보고 그 판을 연구하였기 때문에 한국에서 온 사람이 맞다, 이런 소문이 나게 되었습니다. 그래서 사가현 또한 무언가 하나 나왔으면 하는 찰나에 이게 나오기 시작한 것입니다. 그래서 그곳에서 발굴된 것이 처음엔 주거지, 부·현·군, 항로의 순으로 전체적인 유적 한 벌을 이루게 되는 것입니다. 그래도 개발이 우선에서도 유적을 보존해보자 하는 사가현의 노력이 다카시마를 중심으로 진행되었습니다.

또 이를 보존하기 위해 오사카의 카네자키 선생의 자문을 받아 사가키현의 유물 보존의 장이 중요시되면서 유적이 성장하기 시작했습니다. 저는 중도현상을 보며 그 일화가 떠올랐습니다.

지금 이 중요성이라는 것은 약보고서를 보아도 알겠지만, 이 자료가 배포만 될 수 있다면 이것만으로도 대한민국에서 고고학을 하는 분들은 다 알 수 있으시리라 믿습니다.

결론적으로, 우리나라에는 고고학의 어른이 없습니다. 이것이 현재의 문제입니다. 마코토라던지 카네자키 같은 선생이 한마디 하면 일이 이것(요시노가리)이 중지될만한 권위를 가진 그러한 사람이 없다는 뜻입니다. 예를 들어 그런 선생님이 살아계신다면, 선생님이 문화재청장 혹은 강원도지사를 통해 이를 중지해야 함을 알리셨을 때 영향을 미칠 수 있을 것입니다. 그러나 지금 상황에서는 그렇게 말할 수 있는 사람들은 대부분은 문화제위원이거나 혹은 발굴단을 가지고 있는 사람들뿐입니다. 이를 위해서는 학회가 나타나야 합니다. 그래서 저는 일본의 다카시마와 같은 사람, 이형구 교수와 같은 사람이 이 사안을 강원도지사와 논의하는 것이 중요하다고 생각합니다.

또한 발굴 역시 중지할 뿐만 아니라 발굴 장비를 철수하고 당분간 기간을 연장하며 예외적으로 이를 살리는 방향으로 나아가야 한다고 생각합니다.

감사합니다.

토론문 2

최정필(崔貞必) 세종대학교 명예교수

앞에서 좋은 말씀들을 많이 해주셨는데, 저 또한 중도유적 발굴 허가와 공사 계획에 직접 기획한 입장으로 그 당시에 ~시디 고분하고 발굴 이후에는 종합 발굴 조사단의 자문위원으로서 정말 면목이 없습니다. 특히 지현병 선생이나 심재현 선생과 현장 나갔을 때, 처음 만났던 이후로 문화재위원으로써 그랬다는 것이 미안할 따름입니다.

오늘 저는 이형구 박사님께서 말씀하신 중도 문화 유적 관련한 개별적인 토론보다는 큰 틀에서 중도 유적의 중요성에 대해 저 개인의 입장에서 말씀드리려고 합니다. 앞서 들으셨드이 중도유적은 우리나라 신석기시대부터 초기 역사시대로 이어지는 굉장히 중요한 유적입니다. 이들 유적 중에서도 청동기시대의 유적들은 계단 위에 많은 유적지가 발견이 되고 또, 지금 심봉근 선생님께서 말씀하신 군.현의 단계라는 개념의 문화적 복합요소를 지니고 있음이 밝혀졌습니다.

아울러 청동기 유적이다 할 때 첫째로 생각하는 것은 무덤과 농경지인데, 이것은 보통 무덤들이 아닙니다. 아까 발표하셨듯이 성한 매장구가 발견되었을 뿐만 아니라 일부는 보정되었지만 농경지 또한 발견되었습니다. 그래서 중도유적은 우선 우리 민족사의 형성과 아울러서 고대 역사의 변천 과정을 말해주는 굉장히 중요한 유적지입니다. 그중에서도 청동기시대의 사회 구조가 중요한 이유는 이형구 선생님께서 늘 말씀하시는 고조선 사회로 연결되어 있기 때문입니다.

그래서 사회구조와 또 현대 고고학이 지향하는 이 당시의 문화 환경이 조합을 이루고 있는 즉, 도시든 타운이든 시티이든 간에 하나의 계단의 시작과 매장구 그리고 생산 유적으로써의 농경지가 발견된, 하나의 집합체를 이루고 있다는 점에서 굉장히 중요한 것입니다.

세계고고학회는 지난 40년 동안에 이론적 틀을 만들기 위해 인류 문화의 변천사에서 특히 그 복합 사회의 출현, 즉 어떻게 해서 계급 사회가 출현하게 되었나에 대해 수렵 채집 그리고 초기의 농경사회인 무두 사회에서 계급이 형성된 계층화된 사회가 인류의 사회에서 어떻게 나타나게 된 것인지에 대한 큰 의문을 가지고 있었습니다.

1960년대에는 신진화론에 입각해서 각 학자들이 속한 문화영역의 역사를 연구하기 시작하였습니다. 이는 바꾸어 설명해 드리면 왜 인류문화에서 계급사회가 출현하게 되었고 어떤 과정을 통해시 이깃이 수장사회든, 군장사회든, 초기 국가사회든 우두머리가 되고자 하는 사회가 출현하게 되었는지에 관한 과정을 설명하는 것이 곧 고고학의 큰 명제가 되는 것입니다. 이에 대해서는 국내 모든 사학자들이 수없이 얘기를 하였을 뿐만 아니라 고고학을 하시는 분들 또한 고고학적인 의문을 가지고 증명을 하려고 했으나 지금까지는 고고학적 유물이 부족해서 여의치 못했습니다.

이러한 상황에서 이 중도 유적은 크게 보면은 도구 ~의 역사(56.20 쯤) 또, 가깝게 보면은 우리 민족사회에서 계급의 형성과정인 복합 사회로의 진입을 말해주는 아주 결정적인 자료라고 볼 수 있겠습니다.

저도 현장조사를 통해서 자료를 모으고 또 이형구 선생님께서 보내주신 자료를 그저께 밤늦게

까지 읽어보면서 중도 사회가 과연 복합 사회였냐 아니냐 하면 이는 복합사회였음이 틀림이 없습니다. 현대 고고학에서는 족장사회인지 국가사회를 구별하지 않습니다.

이제 이는 과거의 씨족 사회와 state 사회를 합쳐서 Complex society, 즉 복합사회인 것입니다. 복합사회임이 틀림이 없는 것이, 복합사회의 문화적 가장 기본요소는 사회가 계층화 되어야 합니다, 사회가 계층화 된다는 것은 왕이나 수장을 정점으로 하여 계급이 형성이 되는 피라미드 사회가 됨을 뜻합니다. 그래서 그 사회는 지배층과 피지배층으로 형성되며, 따라서 이런 사회에서는 지배층이 피지배층에게 명령할 권한을 가지고 있을 뿐만 아니라 이 명령을 받은 피지배층은 지배층의 명령에 복종할 의무가 있는 것입니다. 이를 따라야만 사회가 구성되고 유지가 될 수 있습니다.

손병헌 선생님께서 이것은 타운이다 도시는 아니다 하셨지만 요즘 고고학에서는 Organization이라 합니다. 이를 곧, 도시화 과정이라 하는데 이 도시화 과정에 수천 명이 한 곳에서 살라면 행정적인 조직이 없으면 수천 명이 타운에서 살수가 없습니다. 그 인원수가 만약 2000명, 5000명 혹은 8000~10000명까지 가정했을 때, 결론적으로는 이 많은 인원이 이런 좁은 지역에 살라면 행정적인 조직이 형성되지 않고는 살 수 없을 뿐만 아니라, 이들에게 생계 경제를 부여하려면 생산을 담당하는 계층이 있지 않고서는 불가능합니다.

결론적으로 이 중도사회는 계층화되고, 나아가 계층화됨으로써 직업의 전문화가 어느정도 형성이 되었을 것입니다. 수천 명이나 되는 그 사회와 수천 명이 나가있는 위성마을의 인구를 생각하면 수만 명도 될 수 있다는 것입니다. 또한 중도를 중심으로 한 위성 유적지를 살펴본 결과, 수천 명이 몰려 살려면 이는 직업의 전문화가 오지 않고는 이 사회의 구성과 유지가 불가능합니다. 그러므로 직업의 전문화가 곧, 중도사회가 복합사회로 들어가는 것의 바탕이 되었다고 저는 생각을 합니다.

지금까지 고고학에서 우리가 복합사회가 형성되려면 근거리든 원거리든 무역망 즉, 물자의 흐름이 원활해야 합니다. 앞서 이형구 선생의 발표나 심재현 선생의 발표를 들어보게 되면 상당히 그러한 망(網)들이 잘 형성되어 있었을 가능성이 많습니다. 실제로 중도에서 발견된 유물을 살펴본 결과 중도 내에서 제작되지 않았다는 유물들이 상당량 나왔습니다. 예를 들어서 청동 주조의 여부, 또 발견되는 옥기의 경우 춘천지역에서 생산되지 않는 것들인데 이를 통해 원자재를 원거리 교역을 통해서 가져왔을 것임을 추측할 수 있습니다. 그래서 물자의 흐름, 생산된 물자의 재분배를 위해서는 교역이 잘 형성되어 있어야 한다. 춘천 중도유적을 보면 이것은 분명한 사실이다.

마지막으로 제게 굉장히 흥미로운 문화적 복합요소는 역시 초기 도시의 출현입니다. 약 80년 전에 고든 차일드라는 사람은 소위 신석기 혁명을 고고학에서 일찍 일으켰으며, 이다음은 도시혁명입니다. 그 이후에 많은 학자들이 도시에 대해서 연구를 하기 시작하였습니다. 그렇다면 도시라 규정하는 기준이 무엇인가, 이에 대해서는 미국을 중심으로 고고학자들과 인류학자들이 모여서 이야기 되었는데, 도시화되려면 적어도 삼천, 오천, 수천 명이 되면 도시로 인정하자는 의견이 형성되었습니다. Town도 도시가 된 것입니다. 도시가 있어야만 복합사회가 형성이 되고, 또 복합사회가 형성이 되어야만 국가가 형성이 됩니다.

우리가 고조선 사회를 이야기할 때, 이러한 인구가 한 곳에 집중 집합된 그런 자료를 하나도 찾지 못했습니다. 그런데 우리나라 춘천 중도지역에서 이런 례가 나왔는데, 요령 혹은 평양 등지에서도 앞으로 나오지 않으리라는 보장은 없습니다.

이를 종합하였을 때, 도시화의 과정을 말해주는 가장 좋은 유적지는 중도유적지입니다. 따라서 도시국가, 소국, 읍락국가, 이것은 초기국가라고 해도 좋고 권장사회라고 해도 좋습니다만 중도를 중심으로 해서 하나의 연명체가 발달한 것은 사실이며, 이는 반드시 보존되어야만 합니다.

토론문 3.

춘천 중도유적의 조사 성과와 학술적 가치

신희권(서울시립대학교 교수)

1. 중도유적 조사 성과

1) 1980년대 조사 성과

강원도 춘천시 중도에 위치하는 중도유적은 1970년대 후반에 그 존재가 알려졌으며, 1980년 국립중앙박물관에 의해 중도 1호 주거지가 조사 된 이래 지표조사와 발굴조사가 10여 차례 이상 진행되어 신석기시대부터 원삼국~백제 시대에 이르기까지 주거와 매장 유적이 공존하는 복합 취락임을 알게 되었다.

1980~84년까지 국립중앙박물관과 강원대학교박물관에 의해 연차적으로 발굴 조사되면서 그 중요성이 부각되었는데, 원삼국시대 유구로 1980년 국립박물관에서 조사한 1호 주거지와 1982년에 조사한 2호 주거지가 있다. 강원대학교박물관에서는 1981년에 적석총 2기 중 1기를 발굴하였고, 1982년에 4기의 지석묘를 발굴 조사하였다.

2) 4대강 살리기사업 구간 발굴 성과

4대강 살리기사업의 일환으로 북한강 유역의 하중도 지역에 외곽을 따라 제방을 쌓는 사업을 시행하게 됨에 2010~12년에 중도유적에 대한 시·발굴 조사가 이루어졌다. 조사 결과, A~F구역에서 청동기시대 주거지와 지석묘 70여기, 원삼국시대 주거지 30여기와 경작 유구 등이 확인되었다.

청동기시대의 주거지는 조기의 각목돌대문토기 단계부터 중기의 천전리식 주거지가 발굴되었다. 원삼국시대 주거지는 대부분 呂·凸자형이며, 내부에서는 노지 시설이 확인되는데, 점토띠식·부뚜막·무시설식 등 다양하게 나타난다. 이러한 조사 결과는 1980년대 이루어진 주거지 2기에 대한 조사 성과를 보완한 성격으로 이해할 수 있다. 한편 1980년에 발굴되었던 평면 방형계의 주거지 역시 이 조사를 통해 출입구가 달린 呂·凸자형 계통임이 새로 밝혀지게 되었다. 또한 기존에 출토되었던 경질무문토기가 주를 이루는 가운데 타날문 원저 단경호와 시루 등의 토기류, 도자와 철촉 등의 철기류 등이 다시금 발굴되었다.

3) 레고랜드 테마파크 부지 발굴 성과

하중도 지역에 레고랜드 테마파크와 관광시설을 조성하는 계획이 수립됨에 따라 2013~15년에 한강문화재연구원, 고려문화재연구원, 예맥문화재연구원, 한백문화재연구원, 한얼문화유산연구원 등 5개 조사기관이 연합하여 발굴조사를 진행하였다. 조사 결과 청동기시대 조기~중기에 이르는 생활유적과 지석묘, 석관묘 등 매장유적, 그리고 원삼국~삼국시대의 취락 유적과 경작 유구 등을 확인하였다. 중도유적의 유구 배치는 중앙부를 기준으로 서편 일대에 청동기시대 유적이, 동편 일대에 원삼국~삼국시대 유적이 분포하는 특징을 띠고 있다.

청동기시대 유구는 방형 환호 내에 장방형계 주거지 1,270기, 지석묘 130기, 지상건물지 10기와 경작지 등이 확인되었고, 출토유물로는 비파형동검과 선형동부 등의 청동 유물이 주목된다. 청동기시대 유구는 조기부터 말기까지 전 기간을 아우르고 있으며, 주거·매장·생산·의례 공간이 복합되어 있다. 그 중 환호는 장축 121.6m, 단축 87.2m, 총 둘레 403m 규모의 방형 형태로 취락 외부를 감싸는 양상으로 확인되었다. 지석묘 중에는 시신을 안치하는 석관을 만든 후 그 위에 강돌과 깬돌을 깐 묘역 시설을 추가한 묘역식 지석묘가 100기 이상 발굴되었다. 특히 한강문화재연구원에서 조사한 29호 지석묘에서 슴베부분과 검의 아랫부분만 남은 비파형동검(琵琶形銅劍) 1점이 출토되어 세간의 관심을 끌었다.

원삼국~백제시대 유구는 청동기시대의 취락과 달리 하중도의 동쪽 강안(江岸)을 따라 열상으로 분포하고 있다. 한강문화재연구원 A4구역 일부를 제외하면 대부분 환호 내부에 분포하여 청동기시대와 마찬가지로 환호 취락이었던 것으로 생각된다. 발굴조사에서 확인된 주거지가 199기, 수혈 448기, 굴립주건물 41기에 달하며, 2중의 환호가 이들을 감싸고 있는 양상이다.

환호는 동쪽 강안과 평행하게 뻗어 나가며, 주거지 분포 구역의 서쪽 경계를 이루고 있다. 확인된 길이가 약 850m, 너비 2~3m, 깊이 50~170㎝로 1~3열이 평행하게 확인되나, 기본적으로 2열 구조로 볼 수 있다. 주거지는 呂·凸자형 주거지와 소형 방형계 주거지로 대별되나, 呂·凸자형 주거지가 다수이다. 주거지의 형태와 수혈의 깊이가 상관 관계를 띠는데, 대체로 깊이가 깊은 경우(70㎝ 이상)가 呂자형, 깊이가 얕은 경우(30㎝ 전후) 凸자형으로 확인되는 추세이다. 주거지의 장축 방향은 남동향으로, 소양강과 직교하게 조성하여 북서쪽에서 불어오는 바람을 막았던 것으로 보인다. 내부의 노지 시설은 중도식, 쪽구들, 부뚜막 등으로 다양하게 나타나고 있다. 기타 바닥의 점토다짐 주혈, 벽구 등이 확인되었다. 출토유물은 경질무문토기, 타날문 단경호, 대옹, 시루·심발형토기·장란형토기 등의 취사용기가 주를 이루며 상대적으로 철기는 출토 양이 빈약하다.

원삼국시대에 주목할 만한 유구는 주로 A4·A5 구역에 분포하는 경작유구로 층위로 볼 때 다른 유구보다 선행한다. 발굴에서는 취락 내 일부 지역에서만 확인되었지만, 삼국시대 경작유구가 취락 전체에 걸쳐 조성된 점을 감안하면 이 또한 유사한 양상으로 조성되었을 가능성이 높다. 백제시대의 경작유구는 하중도 전역에 분포하는 것으로 확인되었고, A6-2구역의 경우 30㎝ 가량의 단차를 두고 상하로 중첩된 2개 층의 밭이 확인되기도 하였다.

2. 중도유적의 학술적 가치와 의의

1) 북한강유역 청동기시대 취락 연구의 중심

북한강유역은 우리나라 청동기시대 연구의 보고와 같은 지역이다. 최근 중도유적에서 조기~후기에 이르는 주거지를 비롯한 복합 취락 유적이 발굴되기 전에도 소양강을 끼고 발달한 춘천 분지에서 청동기시대를 대표하는 여러 유적들이 발굴된 바 있다. 중도 유적 서편으로 강 건너의 현암리와 신매리, 우두동, 율문리, 천전리, 거두리 유적 등이 해당된다. 좀 더 범위를 넓혀 보면 주변의 화천 용암리와 거례리 등 이름만 들어도 그 중요성을 알 수 있는 청동기시대 취락 유적이 이 일대에 집중적으로 분포하고 있다.

이러한 유적들의 발굴조사를 통해 한국 고고학은 본격적인 취락 고고학으로의 연구에 한걸음 더 나아가고 있다. 단일 주거유적에서 주거군으로, 그리고 취락과 지역공동체로 발전해 나가가는 사회 복합도 연구에 대한 접근이 시작되었고, 그 과정에서 개인과 집단, 정치체에 대한 인식의 고민도 점점 깊이를 더해 가는 추세이다.

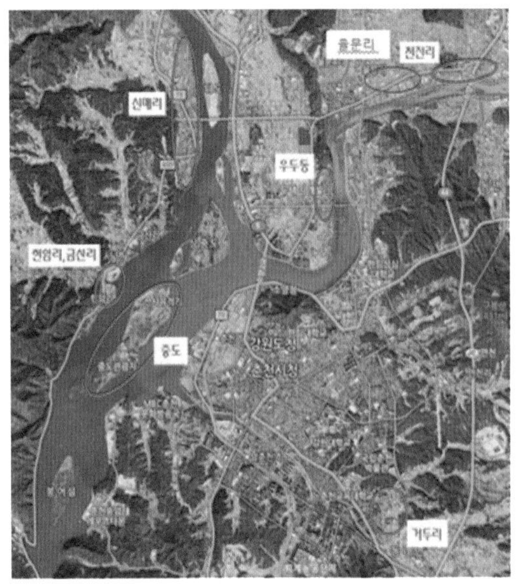

그림 1. 중도유적 주변 청동기시대 유적 분포도(심재연 제공)

중도유적은 이러한 연구의 수준을 한층 높여 줄 수 있는 중요한 유적으로 평가된다. 중도유적은 주거와 매장 유적 외에 특정 의례 공간을 갖추었던 것으로 보이고, 생산 활동의 직접적인 증거가 되는 경작 유구, 그리고 취락 전체를 감싸는 환호 등 고도화된 취락의 구성 요소가 전부 발견되었다는 점에서 우리나라 취락 연구의 가장 좋은 샘플이 될 것으로 생각된다.

시간적으로도 한반도 중부지역에서 한강 하류의 미사리유적과 더불어 가장 이른 시기의 돌대문토기가 발굴됨으로써 기원전 1500년경의 청동기시대 조기 유적임이 분명해 졌다. 뿐만 아니라 기원후 5세기 경으로 편년되어 시기는 조금 떨어지지만 백여 기 이상의 지석묘가 집중적으로 분포하는 것이 확인되어 청동기시대 조기부터 후기까지 이곳에서 장시간 영유한 집단의 존재 상정이 가능해졌다. 물론 그 과정에 집단의 교체가 이루어졌을 가능성도 배제할 수 없다. 한편 지석묘 역시 천전리 등에서 적석부가 지석묘라는 북한강 유역의 독특한 형식이 확인된 바 있어서 중도유적의 묘역식 지석묘와의 비교 연구도 활발히 기대된다.

아울러 중도 지석묘에서 출토된 비파형동검 슴베편과 주거지에서 출토된 비파형동검 검신부 또한 한반도 중부지방 청동기를 연구하는 데 빼놓을 수 없는 중요한 자료이다. 그동안 한반도 남부지방의 지석묘에서 출토 예가 빈번했던 비파형동검이 중도유적에서 출토되었다는 점은 인근 평창 하리 석관묘에서 출토된 비파형동검과 함께 한반도 중부지방에서의 획기적 발견이라 할 만하며, 한반도에서 유례가 드물게 무덤이 아닌 주거지에서 출토되었다는 사실은 비파형동검의 사용 및 매장과 관련된 핵심 단서가 될 것임에 향후 이 부분에 대한 심화 연구도 필요할 것이다.

이처럼 중도유적은 춘천 분지의 여러 청동기시대 유적은 물론 북한강 유역의 주변 유적, 그리고 한강 하류로 이어지는 한반도 중부지방 청동기시대 전 기간을 아우르는 유적과의 비교 연구가 가능한 핵심유적이다. 또한 비록 분포 지역을 달리하지만 하중도 유적 내에서 청동기시대부터 원삼국~삼국시대까지 취락 유적이 연속적으로 분포하는 만큼 한반도 선사문화에서 고대국가로 발전하는 과정을 연구하는 데 더없이 중요한 유적으로 평가할 만하다.

2) 원삼국~백제 고대국가 형성 연구의 핵심

중도유적은 1980년대 첫 조사 성과만으로도 한국 고고학사에서 차지하는 의의가 실로 대단했다고 할 수 있다. 철기시대 또는 원삼국시대로 분류되는 주거지는 북한강 유역에서 가평 마장리 유적의 뒤를 잇는 중대 발견이었다. 1호 주거지는 너비 5m 남짓 되는 말각방형 형태에 중앙부에서 약간 북쪽에 치우쳐 1×1.2m의 타원형 노지가 시설되어 있었는데, 노지는 강돌을 깔고 진흙을 보강해 만들었다. 2호 주거지 또한 너비 6m 정도의 방형에 중앙의 북쪽에 치우쳐 1.7×1.1m 크기의 노지가 있었는데, 1호 주거지와 마찬가지로 바닥에 납작한 강돌을 깔고 점토를 덮어 만들었다. 주위에는 두께 16㎝ 정도의 점토띠를 타원형으로 돌렸고, 북쪽에는 기다란 판석 1매를 바람막이용으로 세워 박았다. 주거지 바닥은 고운 점토를 다져서 만들었다. 주거지에서 출토된 유물로는 경질무문토기와 타날문토기, 도끼날형의 철촉, 돌도끼와 숫돌 등이 있다. 앞서 잠깐 언급했지만 이상의 방형계 주거지는 결국 북한강 유역을 비롯한 한반도 중부지방의 전형적인 凸자형 출입구부 주거지로 판명되었다.

당시 발견된 적석총은 쌍분의 형태를 하고 있었는데, 발굴된 동분은 방추형으로 한 변이 15m이며, 높이는 약 5m 정도였다. 강변 구릉 저지대에 강돌과 모래를 이용하여 정지하고, 강에 인접한 부분은 할석과 판석을 사용하여 축대를 쌓아 올린 후 내부에 모래를 다져 넣는 방식으로 축조하였다. 고구려식의 적석총과는 달리 기단이나 계단이 없는 무기단식 적석 내에 여러 개의 곽을 시설한 것이 확인되었다. 그 중 중심이 되는 내곽의 바닥면은 납작한 강돌을 깔아 평평하게 하였으며 쇠못 등의 존재로 목관을 사용하였던 것으로 추정된다. 청동제귀고리, 도자, 철촉 등과 회색의 경질 타날문 토기가 주로 출토되었다. 출토유물로 보아 1~2세기 경에 조성된 지역 유력자의 무덤으로 추정되는데, 특히 흑색직구호의 경우 한성백제와의 연관성을 보여주는 중요한 유물로 평가되었다.

이러한 무기단식 적석총은 북한강 유역 외에도 남한강 유역의 제천 양평리, 도화리 적석총과 임진·한탄강 유역의 연천 삼곶리, 학곡리 적석총 등이 조사 보고되어 그 계통을 둘러싼 논쟁이 끊이질 않고 있다. 중도 적석총 등을 예계 집단의 수장이나 가족묘로 보는 입장과 고구려 유이민에 의한 백제계로 보는 입장, 백제 중앙에 편재된 재지 세력의 무덤으로 보는 입장 등이 팽팽히 맞서 있다. 최근에는 광주 곤지암리에서도 이와 유사한 적석총이 발굴되어 학계의 이목이 집중되고 있다. 이러한 논의의 촉발이 된 것 또한 중도 적석총이 계기가 되었다고 볼 수 있다.

이처럼 주거지와 적석총 등 중요한 유적이 발굴되었지만, 중도유적을 그토록 유명하게 만든 것은 바로 이 시기 한반도 중부지역 전체를 포괄하는 표지 유물인 경질무문토기의 발굴이다. 이 유물은 중부지역 원삼국시대를 대표하는 토기로 1964년 풍납토성에서 처음 출토되어 '풍납리 무문토기'로 명명된 바 있으나, 1980년대 중도 발굴을 통해 다량의 토기가 집중 출토되면서 이른바 '중도식 토기'란 이름으로 불리게 되었다. 이 토기는 청동기시대 이래의 무문토기 기술 전통에 새로운 고화도 소성의 기술이 가미되면서 나타난 유형이다. 주류를 이루는 것이 평저외반구연호인데, 한강유역 외에 강릉 초당동, 양양 가평리, 명주 안인리 등 동해한 유적에서도 출토되고 있다. 이러한 기술 유형의 토기는 당시 한반도 최남단인 해남과 사천 지역 등에서도 발견되고 있어 가히 전국적인 분포권을 자랑한다. 학계에서는 중도식 토기 외반구연호의 연대를 대략 1~2세기 정도로 보고 있는데, 이러한 연대관은 이후 여러 연구자들에 의해 폭넓게 수용되었다.

이상 중도유적에서 발굴된 원삼국시대 유구와 유물의 종합적으로 고려할 때, 이들의 성격을 백제의 기층문화로 이해하는 데에는 학계의 별다른 이견이 없는 듯하다. 관련하여『삼국사기』「백제본기」 온조왕 13년조 8월 기사에 "사신을 마한에 보내 도읍을 옮길 것을 알리고 마침내 강역을 구획하여 정하였는데, 북쪽으로는 패하(浿河)에 이르고, 남쪽은 웅천(熊川)을 경계로 삼고, 서쪽으로는 큰 바다에 닿고, 동쪽으로는 주양(走壤)에 이르렀다."고 한 대목이 눈에 띈다. 여기서 동쪽 경계에 해당하는 주양을 지금의 춘천이라고 보는 데에는 큰 무리가 없다. 설령 이 강역이 온조왕 13년인 기원전 6년의 상황이 아닐지라도 비교적 이른 시간대에 백제가 춘천까지 영역화 했음을 보여주는 의미 있는 기록임에는 틀림없다.

향후 중도유적에 대한 철저한 보존 관리 계획을 수립하여 청동기시대부터 대규모 집단 취락을 형성한 이래 원삼국시대와 백제시대에 이르기까지 북한강 유역의 핵심 유적으로 자리매김하였던 중도유적을 보다 체계적이고 안정적으로 조사 연구해 나갈 수 있는 발판이 마련될 수 있기를 고대한다.

토론문 4.

문화재청과 고고학계 역사학계가 외면한 중도유적

오 동 철 사단법인 춘천역사문화연구회 사무국장

역사와 자연은 현대인들이 마음대로 할 수 있는 자산이 아니다. 자연이나 역사는 현대인들이 만든 자산도 아니고 수억년 전부터 먼 미래까지 이어져야할 지구적 자산이며 과거와 미래 세대의 공동 유산이기 때문이다. 그런 이유로 역사와 자연에 대해 현대인들은 잠시 빌려 사용할 뿐 그것을 마음대로 훼손하거나 사라지게 해서는 안 되는 가치이다. 자연은 지구가 생긴 이래로 스스로 진화되어온 자원이고 먼 미래까지 지구의 생존을 위해 보존되어야 할 생명줄이며 역사 유산은 과거의 인류로부터 미래세대에 까지 온전히 이어져야할 공동의 문화자산이다. 만일 현대의 인류가 자연과 역사에 대해 권리를 주장하려면 과거의 세대와 미래 세대에게 동의를 받아야 할 것인데 과거의 인류와 미래의 인류를 현대인이 만날 수 있는 방법은 현재로서는 없다. 그러므로 현대인들은 자연과 역사적 유산에 대해서는 잠시 빌려 사용한다는 전제에서 벋어 날수가 없기에 빌려서 사용한 유산을 그대로 전해주어야 할 의무만 남아있다.

그러나 중도 유적의 사례에서 보듯 현대인들은 역사유산과 자연을 훼손하는데 있어 아무런 문제의식을 느끼지 못하고 있다. 특히 중도 유적에 있어 가장 앞장서 있어야할 고고학계와 역사학계의 목소리가 없다는 것은 직무유기이거나 훼손에 동의한 공동정범이라는 비판에서 자유로울 수 없을 것이다.

2014년 7월 29일 우리는 발굴사에서 목도하지 못한 엄청난 유적과 유물을 마주했다. 발굴조사단의 자료에 의하면 청동기 주거지 917기, 수혈유구 355기, 지석묘 101기, 고상건물지 9기, 환호 1기, 한반도에서 처음으로 발굴된 대형 방형환호, 우리나라에서 단 두 점밖에 발굴된 사례가 없는 청동 동부1점과 비파형 동검 1점, 수천 점에 이르는 청동기 유물 등[77] 엄청난 유적과 유물을 접하고 말을 이을 수 없었다. 어디 그뿐인가? 2014년 8월부터의 발굴과정에서 비파형 동검의 경부가 발굴되었지만 발굴기관과 문화재청은 이를 공개하지 않았고 지역 역사단체의 끈질긴 노력으로 국회 국정감사까지 가는 과정을 통해 발굴된 유물이 공개되기에 이르렀다.

---

77 2014년 7월29일 제1차 발굴현장 공개자료-엘엘개발

문제는 이런 중요한 유적과 유물이 고고학계와 역사학계의 환영을 받지 못했다는 점이다. 따지고 보면 고고학계와 역사학계는 중도의 유적과 유물을 보고 싶은 욕심만 앞섰을 뿐 중요한 유적과 유물이 발굴되었을 때 어떻게 할 것인가의 고민은 없었다고 해도 과언이 아니다. 고백하건데 지역 역사학계의 일원인 필자도 중도를 발굴한다고 했을 때 어떤 유적과 유물이 세상에 모습을 드러낼지 기대하는 마음이 커서 그 이후의 과정에 대해서는 세심히 살피지 못한 부분이 있음을 고백한다.

필자가 속해있는 춘천역사문화연구회는 2012년 후반 중도 개발계획 소식을 접하고 2013년 3월[78] "문화재 정밀발굴", "보존가치가 큰 유적과 유물에 대한 원형보전", "1만평 규모의 보존지역에 건립하는 유물박물관과 야외 전시시설을 국제시설 규모로 설계시공하고 전문 큐레이터를 채용해 춘천의 선사유적을 국내외 방문객들에게 널리 알릴 수 있는 교육·체험프로그램을 운영할 것". "발굴조사의 주요 과정 및 유물박물관 건립과정에 춘천시민들이 참여할 수 있도록 중간 설명회를 갖고 발굴현장을 일반에 반드시 공개를 할 것."등 5개항의 질의서를 보내 답변을 받은바 있다.

돌이켜 보면 당시 춘천역사문화연구회 역시 중도의 유적들이 세상에 모습을 보이기를 기대하는 측면이 있었고, 레고랜드 사업이 춘천경제에 엄청난 효과로 나타날 것이라는 기대가 있었던 것이 사실이다. 여기에 더해 각종 규제로 산업의 발달이 전무한 춘천의 현실에서 지역 경제 효과 창출이라는 명제에 밀려 보존의 당위성을 주장하기에는 어려운 지역단체의 한계도 있었던게 사실이다.

2014년 7월 29일 엄청난 유적과 유물이 모습을 드러내며 춘천역사문화연구회는 거대한 유적지 위에 레고랜드를 건설해서는 안 된다는 결론에 도달해 중도 유적 보존운동에 나서게 되었다. 2014년 8월 춘천역사문화연구회는 자문단과 운영위원이 참여하는 전체회의를 통해 '중도유적에 대한 춘천역사문화연구회의 견해'를 공개 발표했다. 발표문에서는 "중대한 유적의 보존과 처리문제에 있어, 어떤 전제조건도 없이 후손에게 온전히 물려줄 역사적 유적과 유물의 특성을 감안하여, 명확한 성격 규명과, 보존가치가 큰 유적에 대하여는 우리 대 에서 마음대로 할 수없는 역사의 자산임을 자각하여, 섣부른 판단과 개발을 전제로 한 유적과 유물의 처리 등, 역사에 죄를 짓는 우를 범하지 않기를 바란다"는 내용과 더불어 "신중하고 철저한 조사와 토층의 보존, 발굴 현장의 상시공개"를 요구하였다.

그러나 중도 유적 보존에 가장 앞장서야할 고고학계와 역사학계는 보존보다는 개발에 힘을 실어주는 입장을 나타냈다. 2014년 7월 이후 지역 대학의 고고학자와 역사학자들은 유적보존보다는 개발에 방점을 찍었고, 보존과 관련하여 아무런 목소리도 내지 않았다.

더 큰 문제는 문화재 보존에 앞장서야할 문화재청 매장문화재분과위원회의 처신이다. 2014년 7월 29일 매장문화재분과위원회는 보존점수 91.77점의 원형 보존이상 점수를 주고도 부결이 아닌 보류를 선택함으로서 개발업자와 사업 시행자인 강원도에 사업 추진이 가능한 길을 열어주었다. 이를 위해 매장문화재분과위원회는 2014년 8월22일과 9월 19일 회의를 통해서도 보류결정을 하며 소위원회를 구성해 개발이 가능한 방안을 찾도록 조력하였거나 방기했다는 비판에서 자유로울

78 2013-2(2013년 3월 시행) "하중도 레고랜드 조성사업에 대한 춘천역사문화연구회의 입장"

수 없다. 실제로 문화재청 매장문화재분과위원회가 3차례의 소위원회와 3차례의[79] 본 위원회를 통해 2014년 9월 26일 내린 결론은 조건부 가결로 개발이 가능하도록 승인을 하였다.

문제는 매장문화재분과위원회 소위원회에서 의암호 만수위가 72m로 만수위시 유적이 물에 잠겨 보존이 어렵다는 판단을 하여 지석묘 이전을 결정하였다는 점이다. 매장문화재분과위원회 소위원회 심정보 위원장은 2015년 1월 5일 jtbc 탐사플러스 기자와의 인터뷰에서 "의암호 만수위 보고서 때문에 48기의 지석묘를 옮길 수밖에 없었다."고 밝혔다[80]. 의암호 만수위가 72m가 아니라면 이전할 이유가 없었다고 분명히 밝힌 것이다. 그러나 이 수위 자료에 대해 의암호를 관리하는 한국수력원자력은 의암호 만수위가 72m가 아니라 71.5m라고 사실이 아님을 밝혔다. 문화재청에 제시된 수위자료가 허위임이 밝혀진 것이고 만수위와 유적 침수는 관계가 없다는 것이 밝혀진 것이다.[81] 허위 수위자료를 통해 지석묘를 옮겼다는 것이 확인된 것이다.

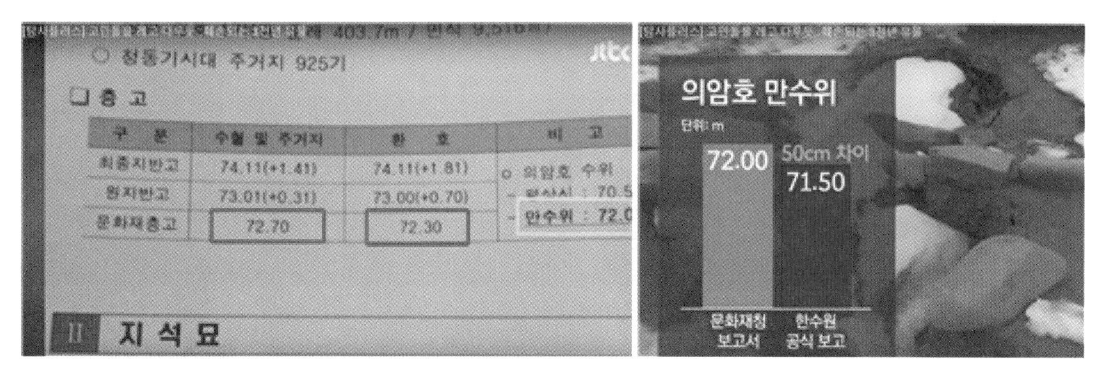

문화재청에 제출된 허위 수위자료. jtbc뉴스룸 탐사플러스 화면 캡처

그러나 허위라는 사실이 명백한데도 불구하고 문화재청은 별다른 조치를 취하지 않은 것으로 보인다. 여기에 더해 문화재청은 의암호의 홍수위가 73m라는 비현실적 핑계로 허위자료에 대한 핑계를 댔다. 이런 가운데 문화재 전문가가 아닌 개발사업자가 이런 수위 자료를 제출했을 것으로 보기는 어려운 상황에서 허위수위자료를 제출하는데 일조했을 것으로 추정되는 발굴조사기관에 대해서 문화재청이 어떤 조치를 했는지도 확인되지 않았다.

문화재청이 유적 보존에 미온적이라는 것은 이후의 발굴과정에서도 여실히 드러난다. 2015년 6월 9일 개최된 중도유적 제2차 발굴공개행사에서는 엄청난 규모의 경작 유구와 고구려계 금동이식이 발견되어 학계와 국민들의 비상한 관심을 받았다. 고구려 석곽무덤도 여러기 발굴되어 중도유적의 가치는 청동기 유적만이 아니라 철기유적[82] 고구려 석곽무덤까지 고대사의 종합 유적임이 명백해 졌다. 특히 이날 공개된 조기청동기 유적에서는 수많은 집자리에서 탄화목이 발굴되어 춘천지역 고대사의 수수께끼를 풀 수 있는 자료들이 조사되었다. 그러나 이런 중요한 유적과 유물이 발굴되었지만 강원도와 엘엘개발은 중요 유물에 대한 미공개, 발굴 현장 미공개 등 비밀주의로 일관했다.[83]

발굴현장 미공개에 대해 문화재청의 태도는 방관내지는 공동 정범이라는 의혹을 살만하다. 2015년 1월부터 문화재발굴현장 상시공개 제도를 시행한 문화재청은 중도 유적 발굴현장 미공개

2018년 10월6일 물에 잠긴 중도 동쪽 유적

2017년10월25일 차량이 밟은 유구

2017년 10월 25일 시민단체에 발견된 규정을 어긴 복토와 유구 훼손

에 대한 민원에서 '발굴현장 상시공개제도가 강제적은 아니다'며 '발굴현장 공개는 업체의 판단'이라고 발을 뺐다. 이런 상황에서 2014년 12월~1월중 발굴된 것으로 추정되는 비파형 동검의 경부는 2015년 9월 문화재청 국장감사를 통해 발굴사실이 밝혀졌고 2016년에 발굴된 철기시대 환호는 일반에게 공개되지 않았다. 아울러 중도 유적 일반 공개는 이후 한 번도 이루어지지 않았다.

중도 유적에 대해 문화재청의 보존의지가 없다는 것은 내부 자료에서도 드러난다. 2016년 6월 10일 전문가검토회의 자료를 보면 A~G구역(레고랜드 확장부지가 대부분) 원삼국 유적에 대한 보존조치 평가 기준을 6명의 전문가가 검토하여 평가한 결과 평균 90.6점으로 원형보존 점수를 받았는데 이 유적에 대해서는 2016년 9월 2일 제10차 매장문화재분과위원회에서 일부만 보존하는 사업 시행자 안으로 결정되는 조건부 가결안이 통과되었다.

문화재청이 유적 보존에 미온적인 태도를 보이며 중도 유적은 제대로 된 보호 조치 없이 물에 잠기거나 동절기 보호 조치 없이 방치되어 훼손되고 유적이 쓰레통 취급을 받기도하였으며 차가 밟고 지나가는 등 방치되거나 훼손에 무방비로 노출되었다. 이런 사례들은 시민단체들에 의해 문화재청에 고발되었으나 문화재청이 사업 시행자나 발굴조사 기관에 어떤 조치를 취했다는 사실은 공개되지 않았다.

유적 보존을 위한 복토과정도 보존을 가장한 훼손이라는 비판에서 자유로울 수 없다. 2017년 10월 25일 시민단체들에 의해 밝혀진 복토규정 무시와 훼손에 대해서도 문화재청은 바로 잡으려는

문 화 재 청

정부 3.0

수신 내부결재
(경유)
제목 '춘천 중도 LEGOLAND KOREA Project 내 유적(A~G구역)' 발굴조사 전문가 검토회의 결과보고

우리 청 발굴제도과-7056(2016.06.07)호와 관련, 강원도 춘천시 중도동 일원에서 수행하고 있는 '춘천 중도 LEGOLAND KOREA Project 내 유적(A~G구역)' 발굴조사의 전문가 검토회의 결과를 다음과 같이 보고드립니다.

1. 유 적 명: 춘천 중도 LEGOLAND KOREA Project 내 유적
2. 일 시: 2016. 6. 10(금), 11:00~14:00
3. 장 소: 강원도 춘천시 중도동 357-10일원 내 발굴조사 현장
4. 참 석 자: 문화재위원, 조사기관, 발굴제도과 담당자 등
   ◦ 검토위원: 이현혜, 강현숙, 김권구, 박보현, 서동철, 성성열(문화재위원 6명)
5. 원삼국시대 유구 보존조치 평가 기준표 작성결과 : 전체평균 90.6

연번	위원명	계	평균
1	이현혜	720	90
2	강현숙	695	86.875
3	김권구	725	90.625
4	박보현	964	95.5
5	서동철	725	90.625
6	성성열	720	90
전체 평균		90.6(소수점 둘째자리 반올림)	

6. 검토결과
   가. 원삼국시대 환호, 주거지 등이 매우 밀집되어 확인었으며 문화재적 가치 및 학술적 가치가 큼
   나. 원삼국시대 유구의 보존구역 범위설정 및 예맥C-2구역 내 분묘(지석묘, 고구려 석곽) 이전복원 대상선정 등은 '중도 문화재보존 자문위원단'의 회의를 통해 논의한 후 위원회에서 검토
   다. G구역에서 확인된 경작유구는 마무리조사 완료 후 하층유구(문화층) 조사 필요
   라. 시굴조사 구역(한강문화재연구원 조사구역)은 유구가 확인되거나 층위상 문화층이 확인되는 지역을 중심으로 발굴전환 요망

2016년 9월 국회 문화체육관광위원회 도종환 의원에게 제출된 문화재청 회의자료

시도보다는 상황을 모면하려는 회피성 답변으로 일관하였다. 매장문화재분과위원회가 제시한 유적 현지보존 원칙에 따르면 "유구의 어깨선 까지 고운 모래를 채우고 1.5m 까지는 마사토, 나머지는 현지토를 복토"[84] 하는 것으로 되어 있지만 이런 규정을 무시한 사례가 무수히 발견되었다. 이에 대해 문화재청이 어떤 조치를 하였는지는 밝혀지지 않았고 잘못된 복토를 다시 하였다는 내용도 없다.

중도유적 보존과 관련하여 그동안의 문화재청 매장문화재 분과위원회의 입장을 보면 유적이 중요하다는 인식은 하고 있지만 보존에 대해서는 의지가 없었다는 사실을 알 수 있다. 2014년 발굴유적에 대해 보존점수 73점을 훨씬 넘는 91.77점을 매기고도 부결이 아닌 보류를 통해 사업 시행자에게 기회를 주었고 이후의 발굴 과정에서도 보류, 조건부 가결을 반복하며 사업시행이 가능하도록 함으로써 중요 유적 보존이 사실상 어렵게 하는 결과를 초래 했다.

중도유적 논란이 계속되는 동안 강원도가 강력한 추진 의지를 보이던 레고랜드 사업과 주변부지 개발 사업이 지지부진한 부분도 생각해볼 대목이다. 역설적으로 사업시행자인 강원도와 엘엘개발은 레고랜드 사업 추진이 어려워진 이유로 문화재 문제를 첫 번째로 들고 나온다는 점 때문이다. 실제로 레고랜드 사업 추진이 어려운 부분은 개발사업자와 공무원들의 각종 비리문제와 투입 자금이 마련되지 않은 문제에서 기인하지만 문화재문제를 핑계의 빌미로 제공했다는 책임이 문화재 보존에 가장 큰 책임이 있는 매장문화재분과위원회나 고고학계와 역사학계 그리고 문화재청에 있다는 주장에서 자유로울 수 없다. 고고학계와 역사학계와 문화재청은 결국 중요유적을 보존시키지도 못하며 문화재가 발목을 잡고 있다는 핑계를 제공한 셈이다.

문제는 앞으로도 있다. 2008년 처음으로 시작된 레고랜드 사업은 만 11년이 넘도록 아직도 제자리다. 발굴조사 허가가 난 2013년 10월 이후로 보아도 6년이 넘는 시간동안 진척된 것은 없이 갈수록 어려운 길을 가고 있다. 그동안 사업시행자가 강원도 땅을 담보로 대출받은 2,140억원은 각종 비리와 접대비, 사업시행자의 운영비, 문화재발굴비용과 보존비용으로 사라지고 멀린사의 처분만 바라보아야 하는 심각한 위기에 직면했다. 당초의 사업계획은 상당부분 변질되었고 이제는 유적을 보존하기 위해 복토를 한 부지위에 15층의 호텔을 짓겠다는 계획으로 원주지방 환경청에 환경협의를 요구하는 지경에 이르렀다.

그러나 원주지방 환경청은 중도부지내에 고층호텔을 건설하겠다는 강원도와 엘엘개발의 계획에 대해 2019년 5월20일자로 최종 "축소조정" 결정을 했다. 고층호텔을 건립하였을 때 의암호 수질 오염 등이 우려된다는 이유에서다. 이로서 중도 레고랜드 건립은 암초를 만나 추진자체에 의문이 제기되는 상황이다. 레고랜드 사업이 그동안 알려진 대로 멀린이라는 회사가 자기돈으로 건립하는 것이 아닌 강원도 소유 중도 부지를 민간에 매각하여 그 돈으로 레고랜드를 건설하는 사업이었기 때문이다. 대부분의 국민들이 알고 있는 사실과는 다르게 사업이 진행되며 국민에게 밝힌 자본금 납부 없이 사업을 진행하던 엘엘개발은 자본금 전액 잠식상태에서 부채비율이 수만%에 이르는 깡통 회사로 전락하며 2,140억원의 대출금은 고스란히 강원도의 부채로 남을 수밖에 없는 지경에

84 2015년 11월 20일 제12차 매장문화재분과위원회 회의록

이르렀다.

레고랜드 사업은 내막을 자세히 들여다보면 절대로 시행되어서도 안 되고 될 수도 없는 사업이다. 사업 구조자체가 정상적인 사업이 아니기 때문이다. 여기에 더해 레고랜드 사업과 관련하여 강원도와 엘엘개발이 밝힌 내용들은 국민기만에 가까운 내용이 많았고 발표된 내용이 제대로 이행된 적은 한 번도 없었다. 이로 인해 착공식만 3차례 정상추진 약속은 수십차례나 이어졌지만 앞으로 남은 과제만 보아도 정상적으로 추진되기에는 문제가 많은 사업이다.

결과만 놓고 보면 문화재청의 잘못된 판단이 조기에 종결될 수 있었던 레고랜드 사업의 문제가 아직도 지속될 수밖에 없는 상황을 만들었다는 점이다. 그런 가운데 우리가 당대에 보기 힘든 중도유적은 제대로 된 보호조치 없이 땅속 깊숙이 묻혔다. 여기서 우리가 주목해야할 부분은 중도유적 복토보존이 적법하냐의 문제와 미래세대에게 넘겨줄 보존이 되었느냐는 점이다. 강원도와 사업시행자인 엘엘개발은 복토보존지역의 상당수인 레고랜드 주변 부지를 민간에 매각하겠다는 계획이며 고층호텔을 건립해서라도 레고랜드 개발 사업은 물론 민간매각에 최선을 다하겠다는 입장이기 때문이다. 정부나 지방자치단체가 소유한 유적도 보존하지 못하는데 민간에게 매각된 부지를 어떻게 보존한다는 것인지 의문이기 때문이다.

원주지방 환경청이 수질 오염을 우려해 고층호텔 건립을 부결하는 것을 보면서 개발사업에 대해 가장 보수적으로 판단을 해야 할 문화재청의 그동안 행보는 우려의 시각을 넘어 고유 업무를 방기했다는 지적에서 자유로울 수 없다는 비판이 설득력을 얻는다. 여기에 더해 수천억의 혈세낭비도 없었을 것이기에 문화재청과 고고학계와 역사학계의 방기는 두고두고 비판을 받을 것이다.

중도유적 문제는 현재 진행형이다. 그동안 문화재청과 고고학계와 역사학계의 방기아래 유적의 가치가 저평가되거나 의도적인 폄훼가 있었지만 과오를 인정할 수밖에 없는 시기가 다가올 것이다. 더욱이 앞날이 불분명한 레고랜드 사업은 다른 사업으로 변질돼 추진될 가능성도 높은 상황이다. 문화재청, 역사학계 등이 유적보존에 눈을 감고 있는 동안 강원도는 어떤 사업이라도 벌여나갈 가능성이 높다. 이제라도 중도유적의 보존을 위한 결단을 해야 할 때이다.

손병헌 교수의 토론 마무리 발언

오늘 학술회의의 종합토론을 마무리 하겠습니다. 주제발표자인 심재연 선생께서 중도유적 발굴에 대한 종합적인 이야기를 많이 해 주셨습니다.

토론자로 첫 번째로 나오신 심봉근 전 동아대학교 총장의 말씀이 있었습니다.

그리고 최정필 교수께서 좋은 말씀 해주셨습니다.

이어서 오동철 춘천역사문화연구회 사무국장 말씀이 있었습니다.

특별히 오동철 선생이 말씀하셨던 내용가운데서 하나 묻고 싶은 점이 있습니다. 오늘 한국의 고고학계 혹은 역사학계에서 중도 개발에 대한 반대 성명이 나오기만 했어도 레고랜드의 계획이 성사되지 않고 중도 유적이 그대로 보존될 가능성이 많았을 것이라고 하는 말을 하셨습니다.

발굴과 관련하여 우리나라의 문제는 개발을 위한 발굴이 전체 발굴의 거의 모두를 차지한다는 사실입니다. 국가와 사회에서 돈을 지출하여 장기간의 계획을 세워서 발굴을 진행하는 곳이 없다는 것입니다.

오늘 학술회의에서의 이 시작이 문화재 보존운동의 하나의 씨앗이 되어 그 운동이 커다란 결실을 맺기를 희망합니다. 우리 선조가 남긴 귀중한 문화 유적지를 잘 연구보존할 수 있도록 우리의 사고방식에도 큰 변화 있기를 기대하며 이 자리를 만들어 주신 이형구 교수의 말을 끝으로 본 심포지엄을 마치겠습니다.

감사합니다.

이형구 교수 폐회사

옛 말씀에 천우신조(天佑神助)라고 하였습니다.

우리 모두가 춘천 중도유적이 잘 보존되기를 간절히 기원하십시다.
다음에 다시 만나기로 하고 오늘 학술회의를 이만 마치겠습니다.

감사합니다.

후기(後記)

"춘천 중도유적의 학술적 가치와 성격 규명을 위한 학술회의"를 개최한지 꼭 1년이 되었다.

지난해 하반기에 강원도와 영국 멀린사는 레고랜드를 건설하기 위해 중도유적에 드디어 철근과 콘크리트 타설 작업을 하기 시작하였다.

현장을 달려갔으나 중도유적이 무참하게 파괴돼 가는 참상을 보고 무너져 내리는 가슴을 주체하지 못하고 심병에까지 빠지기에 이르러 마지막으로 모든 국민이 동참하기를 바란다고 하소연한 바 있다 [붙임 기고문 참조]

그동안 여러 가지로 여의치 못하여 학술회의 논문집을 출간하지 못하고 미루어 오다가 학술회의 참여자를 비롯하여 학술발표자와 토론자들에게 미안한 생각을 가지고 있었는데 최근, 이심전심인지 젊은 사람들이 중도유적의 가치를 이해하고 이를 보존하기 위한 열의를 가지고 '중도유적 살리기 세계화 운동'을 전개하는 것을 보고 무언가는 도와야겠다고 하는 생각을 가지게 되었다.

정부와 지방자치단체가 춘천 중도유적에 레고랜드를 건설하기 위해서 발굴을 시작한지 7년이나 됐는데도 7개 발굴기관에서는 아직까지 정식학술회의 한번 않고 정식 발굴보고서도 발간하지 않고 있어서 본 동양고고학연구소가 지난해 6월 1일 국립중앙박물관에서 개최한 "춘천 중도유적의 학술적 가치와 성격 규명을 위한 학술회의"를 개최하였다. 본 동양고고학연구소가 학술회의 논문집이라도 출간해서 중도유적의 학술성과 중요성을 세상에 알리고 아울러 중도 유적을 보존하기 위하여 노력하고 있는 젊은이들에게도 학술적으로 도와서 용기를 주어야 하겠다고 결심하였다.

항상 그랬듯이 이번에도 선배 동료 학자들의 협조로 『춘천 중도유적의 학술적 가치와 성격 규명을 위한 학술회의 논문집』 출판을 준비하고 있는데 마침 학연의 권혁재 사장이 출판을 맡아주어 참으로 다행이다. 庚子夏至節李亨求記

[기고] “‘중도유적’ 갈아엎고 레고랜드 지어야만 하나”

이형구 동양고고학연구소장 · 선문대학교 석좌교수

지난해 12월 초 중도유적 현장을 방문했을 때 넓은 벌판에 높은 펜스를 쳐놓은 채 레고랜드 건설공사가 한창이었다. 지상에 대형 철근콘크리트 기둥이 세워지고 있었다. 우려했던 문화재 대참사가 바로 눈앞에서 펼쳐지고 있었다.

중도유적은 1980년부터 1984년까지 국립중앙박물관에서 5차례에 걸쳐 발굴해 270여기의 유구를 확인하고 중도발굴보고서를 5권이나 내놓은 유적이다. 2010년까지 강원대학교박물관과 한림대학교박물관 등이 여러 차례 발굴·조사한 결과, 신석기시대·청동기시대·철기시대·삼국시대 유적이 확인된 ‘통사적(通史的)’인 유적이다. 특히 청동기시대의 유적이 주로 분포한 것으로 알려졌다. 최근 고고학 조사에 의하면 신석기시대 후기에 서해안 수위 상승으로 한강 하류 지역에 물이 차기 시작하면서 서울 지역을 포함한 한강 하류의 인류가 지대가 높은 한강 중상류 지역인 춘천 지역으로 이동해 생활하면서 청동기시대의 사회집단을 형성한 것으로 추정되는 매우 중요한 유적이다.

2011년 최문순씨는 강원도지사에 당선되자마자 춘천 중도에 서양의 놀이시설인 레고랜드(Legoland)를 건설하겠다는 계획을 발표했다. 이후 2013년부터 2017년까지 중도 레고랜드 부지 24만980㎡를 발굴한 결과, 청동기시대의 방어 시설인 둘레 400m 크기의 환호(環濠)를 비롯해 청동기시대 주거지·고상가옥·저장 구덩이·경작지 등 3000여 기의 유구와 160여기의 돌무덤이 확인되었다. 이들 유적에서는 비파형동검과 선형동부, 옥착, 옥부 등 청동기시대(고조선 시기) 지배층의 유물이 약 1만점의 석기·토기와 함께 출토되었다.

연합 발굴단의 대표는 7개 발굴기관이 4년여 합동 발굴한 이 유적에 대해 “한국 고고학 역사상 최대의 마을 유적”이라고 평가하면서도 “별도의 보존조치 없이 조사지역에 예정된 사업(레고랜드)을 진행해도 무방하다”는 황당한 의견을 제시했다. 그리고 발굴단의 정식 발굴보고서도 나오기 전에 레고랜드 건설공사가 시작되었다.

2014년 7월 발굴현장 검토회의와 자문회의에 이어 9월 문화재위원회에서 50여 기 지석묘군(群)을 이전·복원하고 나머지는 메우고 건물을 짓는 안을 가결하자, 문화재청은 즉시 레고랜드 건설을 허가했다. “이런 유적과 유물은 국내외 각지에 널려 있어 철거하고 개발하는 데 문제가 되지 않는다.”는 식의 답변을 ‘눈 한번 깜짝 않고’ 내놓았다.

레고랜드 건설공사가 시작된 이 지역은 넓이 24.000㎡ 안에 돌로 쌓아 만든 고인돌무덤(지석묘) 50여 기가 조성된 매우 특징적인 청동기시대 지도자급의 대단위 지석묘군이다. 현대건설이 2021년 5월 완공을 목표로 먼저 공사를 시작한 곳에는 지상 6층의 대형 호텔이 들어서게 된다. 50여 기의 지석묘를 철거한 자리에 지하 10m 아래 암반까지 파일을 박고 콘크리트 기초공사를 한 다음 대형 철근콘크리트 기둥이 올라가고 있다. 레고랜드 건설공사가 완공되면 중도유적은 영원히 사라진다.

주관사인 영국 멀린사와 강원도는 중도유적의 가장 중심지역인 대단위 지석묘군이 있는 곳을 레고랜드의 중심지역으로 설정했다. 지석묘군이 발굴되자마자 레고랜드의 핵심 건물(처음 계획은 15층 호텔)을 짓기로 계획하고 기초공사에 장애가 되는 지석묘군을 제거하는 작업을 적극 추진했다. 마침내 지석묘군을 철거·이전하고, 청동기시대 3000여 기의 유구를 모두 매립해 관광 유흥시설 건설 허가를 받아냈다. 그동안 대통령을 비롯해 국회의장, 국무총리, 국회 문화체육관광위원장에게 10여 차례 '춘천 중도유적 내 레고랜드 건설 중지 청원서'를 제출했지만 번번이 묵살당했다. '문화선진국'이라고 자부하는 대한민국에서 이럴 수는 없다.

이웃 중국은 춘천 중도유적과 비슷한 랴오닝성 우하량 적석총 유적을 대형 유리돔으로 씌워 보존하고 있다. 일본은 구주의 요시노가리 유적지에 산업단지를 건설하려고 했다가 대단위 유적이 발견되자 중지하고 사적공원을 조성했다. 이를 타산지석으로 삼아 이제라도 늦지 않았으니 대통령의 결정만 기다린다. 또 외국 기업이 우리의 문화유산을 말살하고 외제 장난감 놀이시설을 만드는 사업을 당장 중단하고 우리의 역사와 문화를 되살리는 일에 모든 국민이 동참하기를 바란다. [『경향신문』 2020년 1월 3일자 오피니언]

『박근혜 대통령께 드리는 춘천 중도유적 보존을 위한 백서(白書)』, 2015.

『춘천 중도유적 보존을 위한 백서(白書)』에 대한 문화재청의 답변서(2015.11.11)

어제를 담아 내일에 전합니다

문 화 재 청

행복한 대한민국을 여는 정부3.0

수신 이형구 귀하
(경유)
제목 「춘천 중도유적 보존을 위한 백서」 민원 처리결과 알림

민원번호 : 2BA-1510-203015
민원내용 : 붙임 참조
처리결과 :

본 민원은 대통령비서실에서 문화재청으로 이첩된 민원임을 알려드립니다.

안녕하십니까? 우리의 소중한 문화유산에 대한 관심과 애정에 감사드리며, 제출하신 「춘천 중도유적 보존을 위한 백서」 민원에 대해서 붙임과 같이 답변드립니다.

우리 문화유산에 대한 귀하의 깊은 관심과 애정에 대하여 다시 한 번 감사의 말씀을 드립니다. 기타 궁금하신 사항은 문화재청 발굴제도과 박정은(042-481-4951, pje7771@korea.kr)에게 연락주시면 성실히 답변 드리겠습니다. 감사합니다.

붙임 : 「춘천 중도유적 보존을 위한 백서」 민원 답변 자료(별송) 1부. 끝.

문 화 재 청 장

주무관 박정은 학예연구관 대결 2015. 11. 11. 임승경

협조자

시행 발굴제도과-13042 (2015. 11. 11.) 접수

우 35208 대전광역시 서구 청사로 189 / www.cha.go.kr

전화번호 042-481-4951 팩스번호 042-481-4959 / pje7771@korea.kr / 비공개(6)

광복 70년, 위대한 여정 새로운 도약

[붙임] 「춘천 중도 보존을 위한 백서」 민원 답변

【질의요지】

1. 중도유적은 우리나라 최대 규모의 청동기시대 유적과 유물이 출토된 고조선시대의 유적으로, 중도 전체의 발굴은 역사문화의 파괴이자 말살임
2. 청동기시대(고조선)부터 철기시대 그리고 삼국시대로 이어지는 우리 고대사의 귀중한 유적으로 발굴을 중지하고 레고랜드는 다른 곳으로 이전하도록 청원함
3. 중도 유적은 훼손된 것만 아니라 파괴되어 가고 있으나 담당부서인 문화재청에서는 훼손되거나 사라지지 않고 있다고 왜곡 보고하고 있음
4. 의암댐 수위를 고의적으로 낮추어 중도유적이 침수될 것이라고 조작해 문화재가 침수되기 때문에 이전하고 그 자리에 레고랜드 건설부지 개발을 승인함
5. 청동기시대 고인돌을 훼손, '잡석'으로 포장만 해서 중도 내 '강원도항일애국선열추모탑'에 옮겨 방치하고 있음
6. 중도 내에 지방문화재 지정된 '중도적석총'으로부터 어떠한 건축물이나 문화재 경관을 해치는 행위를 금지하도록 명문화된 문화재보호법을 어기고 레고랜드 개발을 승인하여 문화재가 훼손되고 있음

【답변내용】

질의1 : 우리나라 최대 규모의 청동기시대 유적과 유물이 출토된 중도유적은 고조선시대의 유적으로, 중도 전체의 발굴은 역사문화의 파괴이자 말살임
질의2 : 중도유적은 청동기시대부터 철기시대 그리고 삼국시대로 이어지는 우리 고대사의 통사적인 귀중한 유적으로 영구 보전하기 바라며, 레고랜드 건설사업을 중지하고 다른 곳으로 이전하도록 청원함
답변(질의1~2)

○ 지금까지의 학계연구에 따르면 고조선문화는 요하유역의 청동기문화와 함께 형성된 것으로 이해(**요동~한반도 서북부)되며,**
  - 비파형동검은 중국 요서지역에서 한반도 남부까지 분포하며, **한반도 내 118여점 출토(북한 45점, 남한 73점)됨**
  - 묘역식 지석묘는 **춘천을 비롯, 남한의 남부지역(보령, 진안, 합천, 경주, 창원, 거제, 여수, 목포 등)을 중심으로 분포**하며, 북한과 중국 동북지역 일부에서 나타남

○ 춘천지역에는 중도유적과 함께 신매리(사적 제489호/ 신석기~철기시대, 조선시대), 금산리유적(구석기~청동기, 조선시대), 상중도유적(청동기시대), 현암리유적(청동기, 철기, 삼국~조선시대), 우두동유적(신석기~조선시대), 근화동유적(철기~조선시대) 등의 유적이 분포하고 있습니다.

○ 춘천 중도유적은 청동기시대부터 삼국시대에 이르는 문화유적이 확인되고 있으며, 상기 유적들과 함께 이 지역의 보편적인 문화양상을 나타내고 있음을 알 수 있습니다.

○ 문화재청은 중도 레고랜드 시설부지의 발굴조사를 통해 확인되는 유적·유물의 보존과 활용이 이루어 지도록 처리할 할 예정이며, 발굴유물 **전시관 건립 및** 지석묘 **야외전시시설** 마련 등 문화재보존관리 계획이 철저하게 수립될 수 있도록 지도감독하여 온전히 후세에 물려주고, 현대를 살아가는 국민들이 함께 향유할 수 있도록 최선의 노력을 다하겠습니다.

질의3 : 중도 유적은 훼손된 것만 아니라 파괴되어 가고 있으나 담당부서인 문화재청에서는 훼손되거나 사라지지 않고 있다고 왜곡 보고하고 있음

답변(질의3)

○ 중도유적에 대하여 현재 진행되고 있는 발굴조사는 매장문화재의 보호・조사 및 관리를 목적으로 제정된 「매장문화재 보호 및 조사에 관한 법률(이하 매장법)」이 정한 절차에 따라 문화재 조사기관에 의하여 실시되고 있으며

○ 「매장법」은 매장문화재의 유존지역에 대해서는 연구 목적, 유적의 정비사업, 대통령령이 정하는 건설공사, 멸실・훼손 등의 우려로 유적을 긴급하게 발굴할 필요가 있는 경우에는 발굴을 허용하고 있는 바(제11조 제1항), 동 법은 매장 문화재에 대한 일체의 개발을 금지하고 있는 것이 아니라 문화재의 보존과 개발이 조화를 이룰 수 있도록 합리적 보존을 입법목적으로 하고 있음을 알려드립니다.

○ 문화재청은 강원도청으로부터 발굴허가 신청을 받고 문화재위원회의 심의, 현장조사 및 시굴조사 등을 거쳐 발굴을 허가하였으며, 현재 매장문화재를 발견하여 보존할 목적으로 문화재 조사기관에서 발굴조사를 진행하고 있습니다.

○ 발굴조사 과정에서 출토된 유물은 노출정황에 대한 사진촬영과 실측이 완료되면 보안시설이 갖춰진 현장 수장시설에 입고하여 관리하고 있으며(사진 7~12), 특히 중요유물이나 청동기 등 금속유물이 확인되면 즉시 수습하여 각 기관 수장시설에 입고하거나 보존처리를 실시하고 있습니다.

○ 레고랜드부지 내 대상 유구는 3D 스캔 작업 완료하고 데이터화 작업 중에 있으며 관광시설부지 내 지석묘 8기 역시 3D 스캔 작업 중에 있으며 향후 유물전시관 건립 시 CG영상, 멀티미디어 제작 등 교육자료로 활용할 계획입니다.

○ 또한 중도문화재 발굴조사 중요 단계마다 YTN에 의한 기록영상을 촬영하고 있으며, 이는 '선사시대 계획도시, 중도를 기록하다(가제)' 라는 중도문화재 발굴관련 다큐멘터리로 제작되어 유물전시관 건립 시 일반인들과 학생들의 멀티미디어 교육자료로 활용할 계획임을 알려드립니다.

질의4 : 의암댐 수위를 고의적으로 낮추어 중도유적이 침수될 것이라고 조작해 문화재가 침수되기 때문에 이전하고 그 자리에 레고랜드 건설부지 개발을 승인함

답변(질의4)

○ 춘천 중도 레고랜드 부지(203,127㎡) 내 확인된 유적은 전문가 검토회의('14.7.29) 및 평가회의와 문화재위원회 심의를 거쳐 다음과 같이 결정 하였습니다.

- 확인된 유적에 대해서는 복토하여 원형보존함을 원칙으로 하였으며, 지석묘 등에 대해서는 단순히 복토하여 보존하는 소극적 보존방안보다 노출하여 국민들이 체험할 수 있도록 전시·활용 방안에 대한 종합적 검토 진행

○ 묘역식 지석묘의 이전은

- 지석묘를 원 위치에서 전시할 경우 주변 부지는 복토되어 높아지고 지석묘 자리는 상대적으로 낮아져 그릇 형상이 됨에 따라 강우 시 물에 잠길 우려와 지하 방수 작업을 거친다 하더라도 습기관리의 어려움이 예상되었으며,
- 문화재조사의 단계별 검토에 따른 개발과 상생, 보존과 활용여건 등을 고려하여 전시 및 교육자료로의 활용을 위해 이전복원안이 채택되었습니다.

○ 감사원 감사에서도 지석묘 해발 고도 등에 일부 오류가 있는 것은 사실이지만 이는 발굴조사시 기준점으로 삼은 TBM[측량이나 공사를 위한 가설 수준점(해발고도)]의 오류로 발굴조사기관에서 이러한 오류를 알지 못한채 사용한 것으로 지석묘 해발고도 등의 수치를 인위적으로 조작한 증거는 발견할 수 없었고 지석묘 일부를 이전복원하는 것으로 결정하는데 중대한 영향을 미쳤다고 보 기는 어려움이 있다고 통보하였습니다

질의5 : 청동기시대 지도자급 무덤인 고인돌무덤을 훼손, '잡석'으로 포장만 해서 고인돌무덤의 석재를 중도 내 '강원도항일애국선열추모탑' 에 이치 시킨 후 방치하고 있음

답변(질의5)

○ 발굴조사 후 출토된 유물은 '매장문화재 보호 및 조사에 관한 법률' '발견 · 발굴문화재의 국가귀속 절차 등에 관한 규정' 제8조 ①~③항에 따라 각 조사기관이 문화재청으로부터 인가받은 수장시설에서 보관하게 되어 있으며, 발굴조사 진행 과정에서 수습된 유물 중 현장 임시 수장시설에서 1차 정리가 완료된 유물은 즉시 각 기관의 수장시설에 입고하여 철저하게 관리하고 있습니다.

○ 이전복원토록 조치된 묘역식 지석묘 3개군 36기는 2014년 11월, 지석묘유구이전 및 복원공사 계약(서진문화유산) 후 사업부지 내 별도의 장소로 임시 이전을 완료한 상태로, 아래 사진자료와 같이 관리되고 있습니다.

○ "잡석"으로 표시된 부재는 고인돌 부재가 아닌 고인돌 인근의 돌을 추후 복원시 소요될 것에 대비하여 모아놓은 것임을 알려드립니다

보존 추가조치 이전	일자 : 2015.09.10	1차 보존 추가조치	일자 : 2015.09.18

2차 보존 추가 조치	일자 : 2015.09.19	2차 보존 추가 조치	일자 : 2015.10.19

질의6 : 중도 내에 지방문화재 지정된 '중도적석총'으로부터 어떠한 건축물이나 문화재 경관을 해치는 행위를 금지하도록 명문화된 문화재보호법을 어기고 레고랜드 개발을 승인하여 청동기시대부터 삼국시대로 계승된 세계적인 문화재가 파괴 훼손되고 있음

답변(질의6) : '중도적석총(강원도기념물 제19호)' 주변은 **적석총 보호구역**(300m 범위내)으로 설정되어 시·발굴조사 제외지역에 해당함을 알려드립니다. 아울러 중도적석총은 강원도 기념물인 만큼 이후 이 지역에 대한 현상변경 등 개발행위가 있을 경우에는 반드시 적석총 주변 현상변경 허가절차를 해당 시·도지정문화재 지정관리 주관 지자체로부터 받아야 하며, 현재 이 주변지역에 대한 문화재 파괴 및 훼손은 없음을 알려드립니다.

【첨부자료】

1. 중도유적 발굴현황
2. 중도 주변지역 선사유적 분포현황
3. 레고랜드 개발계획(방법)과 유적 보존-계획(사업시행자측)
4. 전국 지석묘 유적 분포현황(지도)
5. 지석묘 발굴 후 보존조치(원형보존 및 이전복원) 사례(18건)
6. 비파형동검 출토현황(지도)
7. 한반도 내 비파형동검 출토현황(목록)
8. 중도유적 고구려 석실묘 발굴현황 및 춘천지역 고구려 석실묘 현황

【첨부1】 중도유적 발굴현황

조사대상 : 565,250㎡(49.6%)	제외지역 : 574,923㎡(50.4%)
– 시굴 : 122,025㎡ (10.7%) – 발굴 : 443,225㎡ (38.9%) · 1단계 : 203,127㎡ (17.8%) · 2단계 : 240,098㎡ (21.1%)	– 보전지역(A, C) : 82,400㎡(7.2%) · 적석총 지대(A) : 20,900㎡(1.8%) · 보 존 지 역 (C) : 61,514㎡(5.4%) – 자연습지(B) : 112,400㎡(9.9%) – 기 타(D, E) : 380,109㎡(33.3%) * 문화재 미 발굴(D) 및 발굴조사 유보(E) 지역

o 문화재정밀발굴조사 현황

◎ 발굴기간 : 2013. 4. 25 ~ 2015. 12. 10

◎ 대상면적 : 총 443,225㎡ (1단계 203,127㎡, 2단계 240,098㎡)

◎ 조사기관 : 5개 기관 (한강, 고려, 예맥, 한백, 한얼)

◎ 유구(종류별) 조사현황(2015. 6월 기준)

- 1단계 조사현황

	주거지	수혈	환호	고상식 건물지	분묘	주구	구상 유구	경작 유구	계	비고
1단계	882	360	1	9	98	1	8	8	1367	경작유구는 기관별 중복있음
2단계	178	94		3	33	3	29	5	345	

◎ 유물별 발굴현황(2015. 6월 기준)

금속	옥석유리	토도	골각	소계	비고
14	3,025	2,026	2	5,067	유물수량은 추후 정리 후 변동있음

【첨부2】 중도 주변지역 선사유적 분포현황

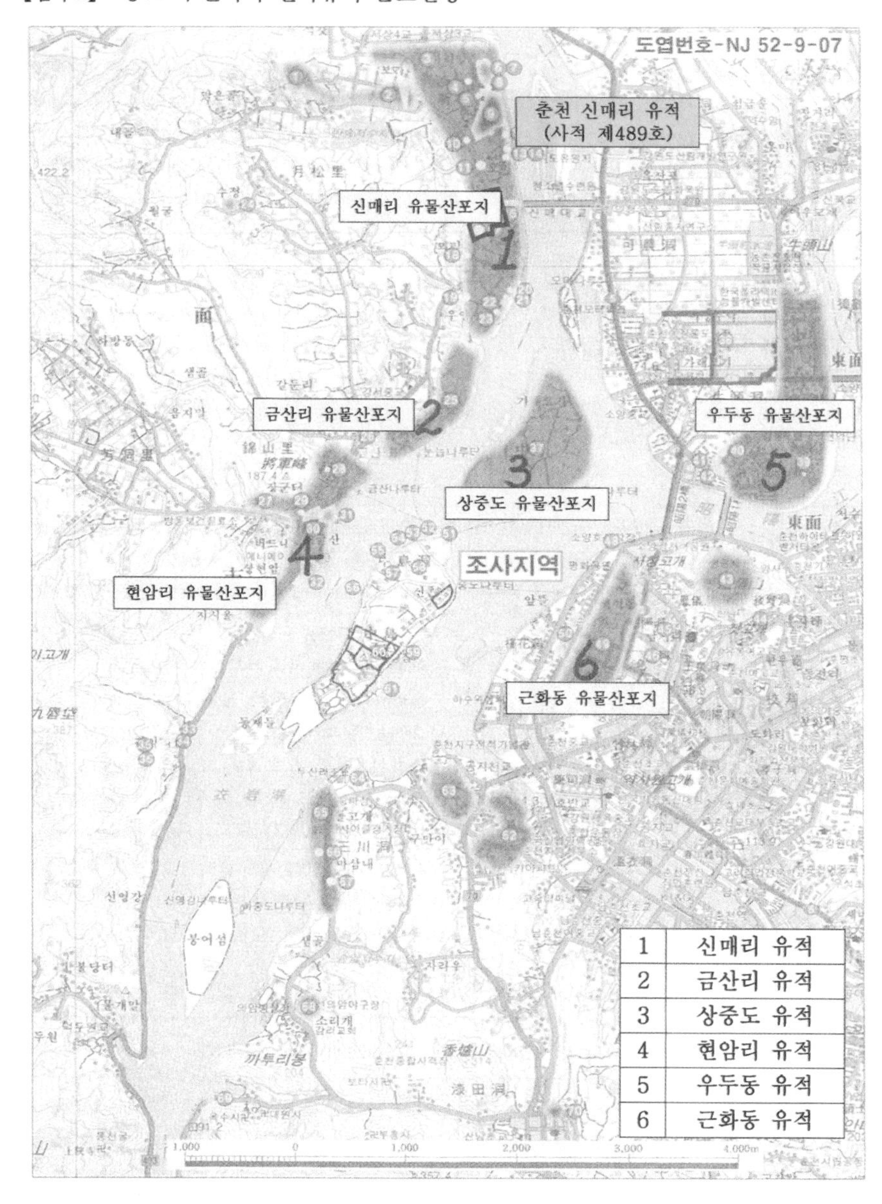

구분	유적명	유적현황	발 굴 결 과
1	신매리유적 (170만㎡)	ㅇ신석기시대 주거지 ㅇ청동기시대 주거지(대표적) ㅇ철기시대 주거지 ㅇ고인돌 ㅇ기타 조선시대 주거지, 수혈유구 등	ㅇ 사적 지정 : 91,236㎡ * 춘천 신매리유적(사적 제489호, '07.11.14지정) ㅇ 신매리 유적 학술발굴 등 19건('81년 ~ 현재) - 기록보존 후 사업시행 : 11건(약 200,000㎡) * 건물신축 8건, 도로개설 2건, 제방보강공사 1건 등 - 사적지 내 : 8건
2	금산리유적 (70만㎡)	ㅇ구석기 유적 ㅇ청동기시대 주거지 ㅇ조선시대 생활유구	ㅇ금산리 문화산업단지부지 내 발굴 등 4건('05 ~ '10년) - 기록보존 후 사업시행 : 4건(35,338㎡) * 문화산업시설, 애니메이션박물관, 창작센터 등
3	상중도유적 (99만㎡)	ㅇ청동기시대 주거지	ㅇ4대강 살리기 상중도 내 유적 1건('10~'11년) * 발굴결과 유구유물 없음 - 기록보존 후 사업시행 : 1건(20,020㎡) * 제방 축조, 유적 미확인지역(습지 232,2000㎡)
4	현암리유적 (26만㎡)	ㅇ청동기시대 주거지 ㅇ철기시대 유구 ㅇ신라시대~조선시대 유구	ㅇ서면 문화산업단지 조성지구 내 유적 1건('07~'09년) - 복토보존 및 사업시행 : 30,200㎡ * 산업단지 조성 포기(1m이상 복토 후 골프장 조성)
5	우두동유적 (130만㎡)	ㅇ신석기시대 주거지 ㅇ청동기시대 주거지 ㅇ철기시대 주거지 ㅇ신라~조선시대 유구	ㅇ우두동 직업훈련원 진입도로 유적 등 14건('03년~현재) - 복토 후 건물신축 : 2건(1,858㎡) - 50cm이상 지하굴착 금지 : 1건(258㎡) - 기록보존 후 사업시행 : 10건(30,654㎡) * 건물신축 7건, 도로개설 3건 - 조사 중 : 1건 393,627㎡ * 춘천 우두택지개발사업
6	근화동유적 (65만㎡)	ㅇ철기시대 주거지 ㅇ통일신라, 고려건물지 ㅇ조선시대 유구	ㅇ경춘선 춘천역부지 내 유적 등 7건('08~'14년) - 기록보존 후 사업시행 : 7건(193,874㎡) * 춘천역사건립 3건, 오염정화사업 1건, 건물신축 3건 ㅇ사업추진 시 전면 발굴 필요

【첨부3】 레고랜드 개발계획(방법)과 유적 보존계획(사업시행자측)

o 현재 레고랜드 시설물 설계는 멀린사의 요청에 따라 캐나다 포렉사에서 기본설계 중에 있으며 설계일정은 아래와 같음

① 국외설계사(FORREC 사)

가. Schematic Design(개념설계)	14/11/03~15/11/30
- Package 1	14/11/03~15/06/30
- Package 2	14/11/03~15/07/31
- Package 3	14/08/31~15/11/30
나. Design Development(기본설계)	15/04/06~16/02/28
- Package 1	15/04/06~15/10/30
- Package 2	15/05/01~15/11/30
- Package 3	15/11/02~16/02/28

② 국내설계사((주)유신 / 범건축종합건축사사무소)

가. Design Development(기본설계)	14/12/31~15/12/31
나. 실시설계도서	15/12/31~16/04/30

o 설계계획에 따른 굴착계획은 아직 기본 설계단계로, 레고랜드 시설은 유구보호층 상부에 위치하도록 조정· 반영 중임

- 시설 특성상 전망타워 하부에 기계실 설치를 위한 굴착이 필요하므로 1차 발굴조사구역 내 문화재가 없는 위치로 재배치 계획 중이고 상세도면은 현재 작업 중임

o 유적 보존계획은 '유구 어깨선까지 30㎝ 높이까지 모래 충진, 그상부는 1.5m 마사토 다짐, 그 상부 1m 굴착토 복토(2015.1.13)' 조치

- 2015.9.30일 복토상황 현지점검 결과 마사토 복토 기준에 부합되도록 복토계획 제출 조치

o 묘역식 지석묘 36기 야외 전시장 이전 복원, 지석묘 12기 및 화덕자리 2기는 유물전시관 이전 복원 조치

【첨부4】 전국 지석묘 유적 분포현황(지도)

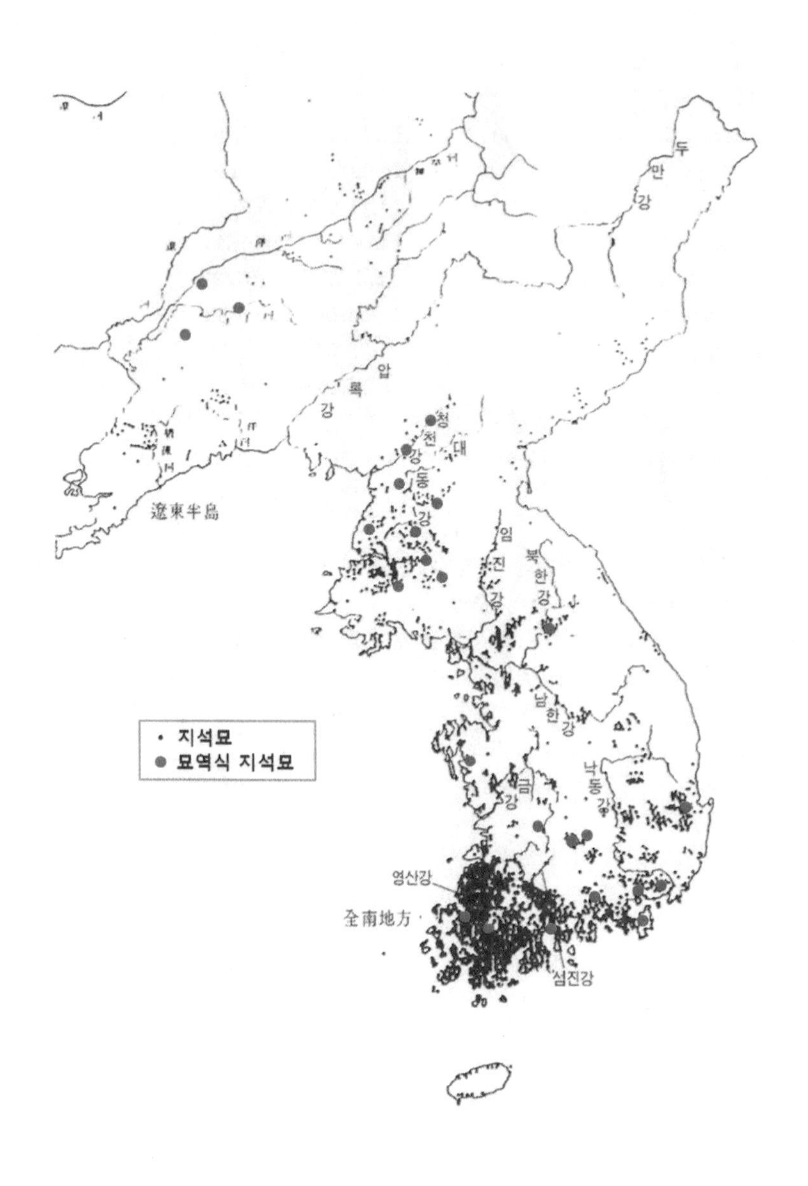

【첨부5】 지석묘 발굴 후 보존조치(원형보존 및 이전복원) 사례(18건)

연번	조사명(유적명)	조사기간	보존유형	유적 보존조치 내용	조치연도
1	나주-동강 도로확장 구간내 유적	'09.5.11 -6.19	이전복원	지석묘 이전복원(동신대박물관)	2009
2	순천 운곡 도시개발 사업부지	'06.10.24 -'07.1.26	이전복원	지석묘4기 이전복원	2009
3	여수 월내동 지석묘 재이전	'09.7.16 -9.30	이전복원	GS칼텍스공장부지 확장에 따른 (당초 이전된)지석묘15기 100m이격 지점으로 재이전(월내동576-1→적량동 125)	2009
4	여수-순천 도로확장 구간내 유적	'08.5.21 -'09.3.10	이전복원	인근 녹지대에 이전복원(지석묘 5기)	2009
5	청주 선도노인복지마을 건립부지 내 유적	'09.1.14 -3.5	원형보존	지석묘 확인지역(5,972㎡) 복토 원상복구후 잔디식재, 교육자료 활용 안내판 설치	2009
6	고흥산지유통센터건립부지 내 유적	'10.7.14 -7.26	이전복원	지석묘	2010
7	김천 부항다목적댐 건설부지내 유적(2-2구역)	'09.2.2.- '10.9.10	이전복원	지석묘 상석 10EA, 장방형주거지 제518호, 원형주거지 제504호	2010
8	김해서중.제일고신축부지 내 유적	'10.1.5- 5.12	이전복원	지석묘 2기	2010
9	대구 신서혁신도시 B구역 1차 유적	'08.7.23- '10.7.8	이전복원	지석묘4기, 석곽묘6기	2010
10	무안 운남-망운간 도로건설구간내 유적	'09.11.19 -'10.8.19	이전복원	지석묘	2010
11	밀양사포일반산업단지조성부지 내 유적	'10.7.5.- 09.11	이전복원	청동기시대지석묘,주거지,삼국시대분묘,조선시대건물지 등 확인	2010
12	밀양 산내-상북간 도로확장구간내 유적	'10.1.5- 7.7	이전복원	지석묘, 석곽, 수혈, 구상유구 등	2010
13	부여 백제호관광단지 주변도로 공사부지 내 유적	'09.5.26 -12.7	이전복원	청동기 지석묘3기, 석관묘12기, 삼국 석곽묘73기, 백제 횡혈식석실묘 14기 등 확인	2010
14	여수GS칼텍스확장부지 내 유적	'09.6.1-' 10.5.31	이전복원	지석묘 등	2010
15	영덕 우곡지구 도시개발사업부지내 유적	'09.6.9.- '10.1.31	이전복원	청동기시대 지석묘 상석 11기	2010
16	청도 풍각-화양간 국도건설구간 내 유적	'10.10.19 -'11.02.22	이전복원	지석묘(6호묘)	2011
17	학생중앙군사학교이전부지 내 유적	'09.6.3- 10.12.6.	원형보존 이전복원	고인돌5기, 기와가마	2011
18	하남 하사창동 340-8번지 내 유적	'12.7.26 -8.23	원형보존 이전복원	건물지 연관된 석렬 복토 원형보존, 지석묘는 하남역사박물관에 이전복원	2013

【첨부6】 비파형동검 출토현황(지도)

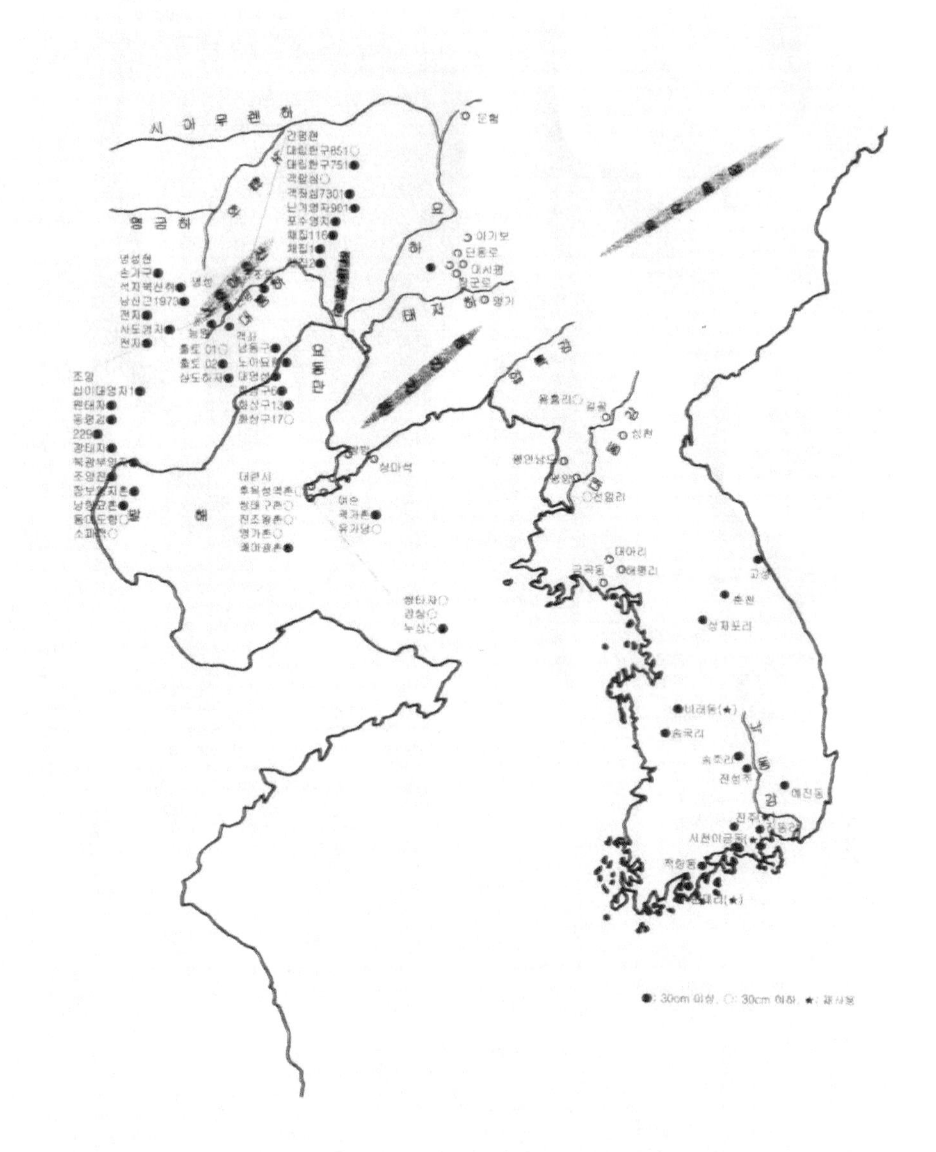

【첨부7】 한반도 내 비파형동검 출토현황(목록)

※ 출처: 미야자토 오사무, 『한반도 청동기의 기원과 전개』, 2010, 사회평론

가. 남한 내 비파형 동검 현황

지역	유적명	위치	검신	비고
강원(6)	방량리	강원 홍천군	금곡동식	
	춘천부근	강원 춘천	송죽리식	
	춘천부근	강원 춘천	송죽리식	
	우두동	강원 춘천시	재가공	
	대하리	강원 평창군	재가공	춘천박물관
	고성지역	강원 고성군	고산리식	
경기(1)	상자포리 1호 지석묘	경기 양평군	용흥리식	
경남(7)	진동리	경남 창원시	송국리식	
	이금동 C-10호 묘	경남 사천시	파편	
	이금동 D-4호 묘	경남 사천시	파편	
	전진주	경남 진주시	재가공	
	덕천리 16호 지석묘	경남 창원시	재가공	
	백운리④	경남 산청군	고산리식	
	회현리M3	경남 김해시	고산리식	
경북(17)	송죽리 4호 지석묘 부근	경북 금릉군	송죽리식	
	낙동면	경북 미산군	용흥리식	비본 182
	전 선산	경북 구미시	용흥리식	
	전 구미	경북 구미시	용흥리식	
	전 금릉	경북 성주군	송국리식	
	전 무주	경북 성주군	송국리식	
	전 무주	경북 성주군	송국리식	
	예천동	경북 청도군	송국리식	
	예천동	경북 청도군	송국리식	
	전 상주	경북 상주군	고산리식	
	전 상주	경북 상주군	고산리식	
	금오산 부근	경북 금산군	고산리식	비본 186
	문당동 1호 목관묘	경북 김천시	고산리식	
	금오산 부근	경북 금산군	고산리식	비본 185
	전 영천	경북 영천군	고산리식	
	전 영천	경북 영천군	고산리식	
	사천동	경북 영덕군	고산리식	종감 132
대구(1)	대구중학교	대구시	고산리식	
대전(1)	비래동 1호 지석묘	대전시	재가공	
서울(1)	영등포지구	서울시	고산리식	종감 130

지역	유적명	위치	검신	비고
전남 (22)	북이면	전남 장성군	용흥리식	
	적량동 2호 석곽묘	전남 여수시	송국리식	
	적량동 7호 지석묘	전남 여수시	송국리식	
	화장동 26호 지석묘	전남 여수시	송국리식	
	덕치리 전북대 15호	전남 보성군	재가공	
	운대 13호 지석묘	전남 고흥군	재가공	
	우산리 8호 지석묘	전남 승주군	재가공	
	우산리 38호 지석묘	전남 여수시	재가공	
	적량동 9호 석곽묘	전남 여수시	재가공	
	운대리	전남 고흥군	파편	
	오림동 5호 지석묘	전남 여수시	파편	
	오림동 8호 지석묘	전남 여수시	파편	
	적량동 13호 석곽묘	전남 여수시	파편	
	적량동 21호 석곽묘	전남 여수시	파편	
	적량동 22호 위석묘	전남 여수시	파편	
	적량동 4호 석곽묘	전남 여수시	파편	
	평여동 Na-2호 지석묘	전남 여수시	파편	
	봉계동 월앙 10호 지석묘	전남 여수시	파편	
	청송리	전남 나주군	고산리식	
	대곡리②	전남 화순군	고산리식	
	덕치리 신기 1호 지석묘	전남 보성군	고산리식	
	평중리	전남 승주군	고산리식	
전북 (3)	전 전라북도	전북	용흥리식	
	평장리②	전북 익산군	고산리식	
	세전리	전북 남원시	고산리식	
충남 (8)	수목리	충남 부여군	용흥리식	
	송국리 1호 석관묘	충남 부여군	송국리식	
	조석산	충남 서천군	재가공	
	암수리	충남 부여군	고산리식	
	구봉리⑨	충남 부여군	고산리식	
	구봉리⑩	충남 부여군	고산리식	
	연화리③	충남 부여군	고산리식	
	전 논산	충남 논산군	고산리식	
미상 (6)	중박본 11377		금곡동식	도록 29-4
	중박본 11943		송죽리식	
	도감 634		서포동식	
	비본 179		용흥리식	
	충남대장		고산리식	
	출토지미상		고산리식	
계 : 73				

나. 북한 내 비파형동검 현황

지역	유적명	위치	검신	비고
개성 (6)	해평리	개성시 개풍군	서포동식	
	해평리	개성시 개풍군	서포동식	
	개풍읍	개성시 개풍군	고산리식	
	월정리	개성시 판문군	고산리식	
	진봉리	개성시 판문군	고산리식	
	삼봉리	개성시 판문군	고산리식	
평남 (6)	연곡리	평남 대동군	서포동식	
	전 성천	평남 성천군	서포동식	도록 29-8
	용흥리	평남 개천군	용흥리식	
	연곡리	평남 대동군	용흥리식	
	신송리	평남 평원군	고산리식	
	문덕군	평남 문덕군	오도령식	도록 635
평양 (18)	석암리	평양시	서포동식	
	서포동	평양시	서포동식	
	평양부근	평양시	서포동식	비본 178
	평양부근	평양시	서포동식	비본 183
	신성동	평양시	용흥리식	
	평양부근	평양시	용흥리식	비본 177
	토성동M486①	평양시	고산리식	
	토성동M486②	평양시	고산리식	
	토성동M486③	평양시	고산리식	
	석암리	평양시	고산리식	비본 252
	석암리	평양시	고산리식	비본 250
	평양부근	평양시	고산리식	비본 211
	평양부근	평양시	고산리식	비본 180
	평양부근	평양시	고산리식	비본 255
	토성동M486⑦	평양시	오도령식	
	동정리	평양시	오도령식	
	원암리	평양시	오도령식	
	평양부근	평양시	오도령식	비본 191
함남(1)	토성리	함남 북청군	고산리식	
황남 (10)	운성리	황남 은률군	용흥리식	
	노암리	황남 안악군	고산리식	
	고산리	황남 재령군	고산리식	
	청산리 토성부근	황남 신천군	고산리식	
	청산리 일출동	황남 신천군	고산리식	
	금곡동	황남 연안군	금곡동식	
	대아리	황남 배천군	송죽리식	
	일곡리	황남 배천군	고산리식	
	연안읍	황남 연안군	고산리식	
	오현리	황남 연안군	오도령식	
황북 (4)	선암리	황북 신평군	송죽리식	
	천곡리	황북 서흥군	용흥리식	
	천곡리 왜골	황북 서흥군	고산리식	
	양합리	황북 금천군	용흥리식	
계 : 45				

【첨부8】 중도유적 고구려 석실묘 발굴현황 및 춘천지역 고구려 석실묘 현황

ㅇ 조사개요

- 개석과 상부 : 최근까지의 심경작물의 재배로 인해 주위가 교란되어 있었고, 개석과 상단 벽석의 일부도 교란되어 제 위치를 잃어버린 상태로 확인됨. 상단 벽석의 일부도 교란되어 제 위치를 잃어버린 상태로 확인됨.
- 묘광의 규모 : 길이 320cm, 너비 260cm 정도, 석곽을 축조한 후 묘광과 석곽 사이는 할석으로 뒷채움하였는데, 석곽 내부의 규모는 길이 190cm, 너비 60~65cm, 깊이 25~73cm
- 비교적 잘 다듬은 할석을 이용하여 양쪽 장벽은 횡평적과 종평적을 병행하여 축조하였고, 남단벽은 2매의 판석으로 입수적하였으며, 북단벽은 다수 교란되어 와수적한 벽석 1매만 잔존함
- 바닥에는 직경 5~7cm 내외의 천석을 이용하여 전면에 시상시설을 하였고, 남쪽 바닥에서는 泥質化된 다리뼈의 일부가 노출되었음

ㅇ 출토유물 : 석곽 내부 바닥 북쪽에서 금제 태환이식 1점 출토

- 중심고리(主環)와 노는고리(遊環), 연결고리·구체(球體-샛장식, 中間飾)·원판모양장식(圓板形裝飾)·추모양장식(錘形垂下飾)으로 구성, 연결고리에서 추모양장식까지는 일체형
- 크기 : 전체 길이는 약 4.5cm, 중심고리는 직경 약 1.8cm·너비 1.4cm의 원형, 노는고리는 길이 약 1.4cm·너비 약 2.1cm의 타원형, 연결고리에서 추모양장식까지 약 2.8cm
- 노는고리를 제외하고는 모두 금제로, 노는고리의 끝단에서는 동녹이 일부 확인되는 것으로 볼 때 동봉(銅棒)에 금박을 입힌 동지금장(銅地金裝)으로 판단됨
- 14개의 소환을 연결하여 붙인 소환연접구체로 좌우로 넓은 편구상이며, 구체의 상하에 두터운 고리를 땜으로 접합하여 연결고리와 원판모양장식을 연결함

ㅇ 기존에 출토된 고구려계 금제 태환이식의 양식으로 볼 때 평양시 대성구역 안학동 출토품, 청원 상봉리 출토품들과 비교적 유사하나, 구체와 원판모양장식 및 추모양장식이 좀 더 커지고 발전된 모습을 보이고 있는 점을 볼 때 이 보다는 다소 늦은 시기에 제작된 것으로 판단됨

※ 춘천지역 고구려 석실묘 현황

유적명	위치	수량	유적 내용	비 고
신매리 고분	춘천시 서면 신매리 177-14	1기	1982년 농경지정리 작업중 발견되어 국립문화재연구소에서 발굴조사 실시 석실분으로 천장은 말각식이고 연도는 오른쪽에 설치함. 내부에서 2사람의 인골 수습됨. 출토유물 없음	강원도기념물 第46호 (1982.11.3 지정)
방동리 고분	춘천시 서면 방동리 816	2기	1981년 처음 소개된 후 1993년 한림대박물관, 2005년 강원문화재연구소에서 발굴조사 실시. 석실분으로 천장은 말각식이고 시상은 좌측에 마련하였으며, 연도는 오른쪽에 설치함. 출토유물은 없었음	강원도문화재자료 第106호 (1982.11.3 지정)
만천리 고분	춘천시 동면 만천리 산15-16	2기	1995년 한림대박물관에서 발굴조사 실시. 석실분으로 시상은 좌측에 마련하였고, 연도는 오른쪽에 설치함. 출토유물은 없었으나 무덤의 평면형태가 신매리・방동리 고분과 유사하여 고구려고분으로 추정하고 있음.	
천전리 고분	춘천시 신북읍 천전리	1기	2003~2005년 도로공사부지에 대한 강원문화재연구소의 발굴조사에서 확인. 석실분으로 양쪽에 시상을 만들고, 연도는 중앙에서 동쪽으로 치우쳐 설치함. 출토유물은 없었으나 서북지역 고분과 유사성이 많은 고구려고분.	

춘천 중도유적의 학술적 가치와 성격 규명을 위한 학술회의 논문집

인쇄일 2020. 07. 14.
발행일 2020. 07. 14.

편 찬 동양고고학연구소(소장 이형구)
발 행 학연문화사

ISBN 978-89-55084-14-6 93910